良心から科学を考える

パンデミック時代への視座

良心から科学を考える

パンデミック時代への視座

同志社大学 良心学研究センター【編】

岩波書店

目次

装画＝田島　環

I

科学者はなぜ誤りをおこすのか

第1章 科学と良心の接点

小原克博

科学と良心にどのような接点があるのだろうか。良心概念の来歴や多義性については後に紹介するが、科学との関係でいえば、良心は自己や集団に帰せられる責任の認識としてとらえるとき、その特性をもっともよく表現することができるだろう。科学倫理、科学技術の倫理、科学者の倫理など、科学や科学技術の倫理的指針や、それに付随する責任をめぐる議論には、すでに一定の蓄積があるが(第2章参照)、良心という概念をもち出すことの積極的意義はどこにあるのか。

一つの意義は、良心をめぐる議論が哲学や宗教など、人文社会系の学問において長い歴史を有しており、それを科学の営みに適用することによって、より幅広い視点から科学を対象化し、現代において問うべき論点がどこにあるのかを明らかにできることにある。もう一つの意義は、道徳的指標(モラル・コンパス)の一つとされてきた良心、および、共感(第6章参照)や利他性(第5章参照)など、良心の隣接概念に対し、科学の視点から、その起源や機能について説明を与えることによって、良心概念そのものを拡充し、異なる学問分野が互いに交流するための共通のプラットフォームを形成できることにある。

現代の科学技術は、ゲノム編集から核エネルギーの利用に至るまで、個人の人生や地球環境に甚大な影響をもたらすものが少なくない。つまり、科学技術の使用は社会的なリスクと常に連動しており、そこでは使用者個人の善意や悪意は限定的な役割しか果たさない。したがって、良心を考えるときにも、それを個人の内面に位置づけるだけでなく、良心に起因する責任の認識は社会に対し開かれたものでなければならない。そして、ゲノム編集や核エネルギーの利用に典型的に見られるように、現代科学技術がもたらす影響力の時間的長さを考慮すれば、二一世紀の良心は、未来世代への責任を引き受ける必要がある。それはおのずと人類全体の生存や持続可能性を視野に入れることになるため、これまでの道徳、すなわち、小集団の中で系統発生的に発展してきた道徳の次元にとどまることは許されないのである。

新型コロナウイルス感染症によって引き起こされた状況は、文字通り人類規模の危機となっている。人の善意や悪意は、このような状況下で、どれほどの意味をもつのか。そこで次に、疫病文学の代表作の一つ、アルベール・カミュの『ペスト』(原著一九四七年)から重要な論点を抽出し、科学と良心の関係を考察するための手がかりとしたい。

一　パンデミックと良心

危機的状況における倫理的争点

カミュの『ペスト』は、ペスト拡大に伴って封鎖されたアルジェリアのオランという都市を舞台として、ペスト終息によって都市が開放されるまでの間の人びとの精神状況や生活を描いた架空の物語である。そこでは、ペスト蔓延という緊急事態において人間の心理や社会関係がどのように変化するのか、経済活動が停止したとき、どのような対応がなされるのか、などが具体的かつ緻密に描かれながら、同時に、この世の不条理や、人の苦難や死に対する普遍的な問いが投げかけられている。その作品を読むとき、二〇二〇年初頭以降の世界で起きていることに酷似していることに驚かされると共に、わたしたちのあり様を外部から観察する視点を与えられるかのようでもある。

物語は二〇世紀半ばを想定しており、前世紀と比べるなら、ペストをはじめとする感染症に対する医学的知識や対処方法も格段に増している。とはいえ、医学が決定的な勝利をおさめることはない。主人公のリウーは医師であり、彼の献身的な治療の様子が作品中で描かれているが、その努力をあざ笑うかのように、蔓延するペストは次々と人の命を奪っていく。物語の中では「自宅への流刑」と呼ばれる外出自粛政策が取られているが、それが命を保障してくれるわけではなかった。

圧倒的なペストの力を前に、それを「天罰」として論じるカトリック司祭パヌルーもいれば、できるかぎりの市民救済のために保健隊を結成したタルーもいる。その英雄的ともいえるタルーの善意に対し、この小説における「筆者」と称する人物が、冷静に次のように論評している点は注目に値する。

世間に存在する悪は、ほとんど常に無知に由来するものであり、善き意志も、豊かな知識がなければ、悪意と同じくらい多くの被害を与えることがありうる。人間は邪悪であるよりもむしろ善良であり、そして真実のところ、そのことは問題ではない。しかし、彼らは多少とも無知であり、そしてそれがすなわち美徳あるいは悪徳と呼ばれるところのものなのであって、最も救いのない悪徳とは、自らすべてを知っていると信じ、そこで自ら人を殺す権利を認めるような無知の、悪徳にほかならぬのである。殺人者の魂は盲目なのであり、ありうるかぎりの明識なくしては、真の善良さも美しい愛も存在しない(カミュ 一九六九、一九三頁)。

第一に、人間の行為を単純に善意と悪意に帰することの問題性が、ここで指摘されている。たとえ善意からなされた決断や行為であったとしても、それが「豊かな知識」を欠いた場合、結果として「悪意と同じくらい多くの被害」をもたらすことがある。悪しき結果を避けるために必要なのは、必ずしも善意ではなく「無知」の認識であり(第12章参照)、「ありうるかぎりの明識」である。とりわけ危機的状況にあっては、正確な知識の有無が決定的となる。このことは、主人公リウーが、医学的な知識と経験に基づいて、淡々と職務に当たる理性的かつ実践的な人物として描かれている点にも関係している。

第二に、特定の人間の英雄的なふるまいが、必ずしも問題解決には至らないことが、ここでは示唆されている。端的にいえば、ヒロイズムの否定である。危機的状況においては、英雄的なふるまいをする人、敵との「戦い」を力強く宣言する人に注目が集まり、その人があたかも問題の解決者であるかのように期待されることは、戦争の時代に限らず、これまで何度も繰り返されてきた(新型コロナウイルス感染症への対応に関しても既視感があるかもしれない(第14章参照))。しかし、『ペスト』において描かれている、病人への対応や対策に関わるのは、ごくありふれた人びとであり、その人たちがささやかな形で善良さを行使している。こうした描写と対比的なのが「最も救いのない悪徳とは、自らすべてを知っていると信じ、そこで自ら人を殺す権利を認めるような無知の、悪徳にほかならぬのである」という言葉である。強制的な安楽死あるいは自殺幇助すら連想させる言葉であるが、「人を殺す」ことさえ正当化する知識が、科学の名の下に語られた時代があったことについては、後に事例を取りあげる。ここまでの論点から確認できる「良心」の働きを次に整理してみたい。

コンスキエンティアとしての良心

日本語の日常的な語彙としての「良心」は、前述の「善意」に近い意味で用いられている。「良心」という日本語が英語の“conscience”の訳語として定着したのは一九世紀末のことである。当時、外来語に対応する適切な日本語が見当たらない場合、中国の古典から言葉を探すことが多かった。「良心」は『孟子』(告子章)から取られたことからもわかるように、儒教的な性善説の系譜の中で理解される傾向が強かった。

文献的に確認される「良心」の初出はブリッジマン・カルバートソン訳『新約聖書』(一八六三年)といわれている。福沢諭吉は『学問のすすめ』(一八七二～七六年)の中で“conscience”を「至誠の本心」と訳しており、当時、複数の訳語候補があったことがうかがえる。

他方、英語の“conscience”にはギリシア思想に由来する長い系譜があり、西洋概念としての良心の語源的な意味は「共に知る」である。“conscience”の元になったのは、ラテン語の“conscientia(コンスキエンティア)”であり、“con(共に)”と“scire(知る)”から成り立っている。さらにコンスキエンティアの元になったのはギリシア語のシュネイデーシス(συνείδησις)であり、やはり「共に」と「知る」から構成されている。もちろん、言葉の意味は語源だけで特定することはできず、それぞれの時代で多様な意味解釈が展開されていったことはいうまでもない。しかし、科学と良心との関係を考えるうえでは、儒教的なニュアンスに還元されない西洋史における良心の来歴を知っておくことは重要である。

たとえば、日本人としてはじめて大学の学位(バチェラー・オブ・サイエンス)を取得した新島襄(一八四三～九〇)は、米国滞在中に“conscience”と出会い、帰国後、「良心」という言葉を使うことになるが、その際にも、儒教的な「良心」と混同されないよう注意を払っていた(同志社大学良心学研究センター 二〇一八、六頁)。新島の場合、良心は儒教ではなく、キリスト教や自由の概念に、より強いつながりをもっていた。

西洋語の「良心」には語源のレベルでは「良い」「悪い」という価値判断が入っていない。それゆえ、セネカは「善い良心」「悪い良心(良心のやましさ)」という表現を使うことができたし(レンク二〇〇三、一九頁)、その用語法は今も西洋語の「良心」に引き継がれている。カミュの『ペスト』における先の議論との関係でいうと、「知る」(スキエンティア)ことは、自らの「無知」の認識と表裏一体であり、「無知」であればこそ、「共に」知る(コンスキエンティア)ことを志向することになる。そして、善意や悪意とは独立した「ありうるかぎりの明識」が目標とされるのである。

「科学」という日本語は、一八八〇年代初頭、西周(あまね)が“science”に与えた訳語であるが、サイエンスはラテン語のスキエンティアに由来している。西は、当時日本に流れ込んできた西洋の諸学(discipline)が、非常に専門分化していることに新鮮な驚きを感じ、“science”に「分科の学」(ばらばらに分かれている学問)という訳語を与えた(隠岐 二〇一八、九七—九九頁)。これは確かに当時の“science”の形式的側面をとらえているが、それがスキエンティア(知ること)に由来するというニュアンスは日本語の「科学」からは理解することができない。“con-science(良心)”は「共に知る」ことであり、言葉の本来の意味で「共にサイエンスすること」であるとすれば、少なくとも語義レベルでは、科学と良心が密接な関係にあることがわかるだろう。自らの行為を安易に正当化することなく、また、英雄的に善意を強弁することなく、理性的かつ実践的に共通の「知」に開かれていくことに、コンスキエンティアの働きを見出すことができるのである。では、歴史的な出来事の中で、科学と良心はどのような関係をもっていたのだろうか。

二　良心と科学者の社会的責任

良心に基づく行為はすべて許されるのか

善意でなされたとしても、結果として「悪意と同じくらい多くの被害」が生じることがある。これは「良心のパラドクス」や「誤れる良心」といわれることがあるが、「よかれ」と思ってやったことが、後に大きな「悪」として認識されることは枚挙にいとまがない。人類が引き起こした悪や暴力の問題を、文明論の中で論じたアルベルト・シュヴァイツァー(一八七五〜一九六五)は、次のように良心について述べている。「断じて鈍感にされてはならない。われわれが〔倫理的〕葛藤をいよいよ深く体験するならば、われわれは真理のなかにある。疚(やま)しくない良心などは、悪魔の発明である」(シュヴァイツァー 一九五七、三二二頁)。

「科学者の良心」も決して例外ではなく、「悪魔の発明」とでもいいたくなるような非人道的な実験や技術開発が行われてきた。原爆の開発(マンハッタン計画)においては、日本との戦争を早期に終わらせ、これ以上の戦死者を出さないため、という大義名分が掲げられ、末端の科学者や技術者たちは詳細を知らされることなく、未曾有の国家プロジェクトに組み込まれた。医学の発展のために人体実験が正当化された時代があった。また、国家や社会の繁栄を名目とする優生政策は、最先端科学(優生学)の社会への適応として広範囲に行われ、障がい者の強制不妊手術が各国で行われた。同様のことが、日本では旧優生保護法(一九四八〜九六年)のもとで戦後も継続され、その問題の深刻さが、被害者の口を通じて国民に知られるようになったのは、ごく最近のことである。

科学者がその良心に基づいて実験や研究などを行ったとしても、そのすべてが許されるわけではないことを、過去の事実は教訓として教えてくれる。そこで問題となっているのは、善意があったのか、悪意があったのか、ということではない。自分では善きことをなしていると考える人の手によって悪がなされることがある。こうした事態を洞察し、問題が深刻化することを未然に防ぐために、良心は単に個人の内面にとどまるものであってはならない。「共に知る」範囲を適切に拡大し、「悪魔の発明」としての「疚しくない良心」に依存するのではなく、倫理的に葛藤する良心を働かせるためには良心の社会的次元（社会的良心）が欠かせない。

社会的良心が麻痺するとき、いかに深刻な事態が起きるのかを、ナチス・ドイツの人種優生政策（第11章参照）と当時の科学の関係から考えてみたい。

科学者が道を踏み外すとき

ナチス時代、人種優生政策のもとで六〇〇万人ものユダヤ人だけでなく、二〇万人にものぼる障がい者も抹殺された。ドイツ民族の遺伝形質の劣化を防ぐため、というのが、その理由である。その計画の中で重要な役割を果たした人物の一人、人類遺伝学者のオトマール・フォン・フェアシュアー（一八九六〜一九六九）に関して、近年、多くの事実が明らかになってきた（ＮＨＫ制作班 二〇一八、五二―九三頁）。ここで経緯の詳細について述べることはできないが、彼は断種法（遺伝病患者などに強制不妊手術を施すため、一九三三年に制定された法律）や人種差別的な政策を科学の立場から正当化した。彼の理解では、強制不妊手術は、病気や障がいのない、よりよい世界をつくるために必要なことであり、きわめて人道的な行為であった。彼は科学者としての良心を発揮して、社会の改良に励んだといえる。そして、そうした優生学的な理想は彼特有のものではなく、当時、日本を含む、多くの国々で共有されていた先進的な価値観でもあった。

戦後、ナチスの協力者の多くは裁かれ、フェアシュアーも尋問を受けたが、証拠不十分（人体実験に関する書類を事前に破棄していた）で無罪となり、数年、公職に就くことを禁じられていたものの、すぐに社会復帰した。科学が大量虐殺の道具として用いられた時代の中心人物の全体像がわかってきたのは、ごく最近のことである。なぜフェアシュアーの良心は「疾（やま）しさ」も「葛藤」も感じることなく、自己完結・自己正当化し、大量殺戮に加担してしまったのだろうか。松原洋一の次の説明は、当時の科学が陥った問題構造を的確に説明しているだけでなく、研究不正（第3章参照）など、現代における問題をも示唆しているようで興味深い。

科学者がいろいろなことを証明していくためには、大きなスポンサーが必要です。そこにナチスという〝理解者〟が現れ、自分のやりたいことを全部支援してくれて、弟子のメンゲレをはじめ、同じようなことを考える人ばかりが周囲に固まって共犯関係が確立する。そこで名声を得て、権力者たちがお墨つきを与えてくれるという状況になれば、科学者が良心を保つのは非常に難しくなるでしょう。（NHK制作班 二〇一八、七六頁）

「共に知る」範囲を狭く設定することによって、科学はその専門性を増すことができる。しかし同時に、自らに都合よく「共に知る」範囲を限定することにより陥る陥穽についても歴史的教訓から批判的に学び、社会的良心の維持・活性化に努める必要があるだろう。

三　良心から科学を考える、科学から良心を考える

スキエンティアとコンスキエンティアの相互作用

ホモ・サピエンスは、決して屈強とはいえない身体でありながら、「知」を共有・継承することによって、過酷な自然環境を生き延び、世界に広がっていった。その意味で、スキエンティアは人類の歴史のはじまりから、コンスキエンティアとしての性格を有していた。現代のスキエンティアの代表格としてのサイエンスもまた、コンスキエンティアなしには成り立ち得ない。ごく一部の人しか知り得ない秘教的な科学など、現代ではあり得ないだろう。コンスキエンティアと関係づけられることにより、スキエンティア（サイエンス）の特性がより明確になり、雑多な他者（弱者）を切り捨てることによって成り立つ精緻さ、純粋さ、優越性への誘惑に抗する力を得ることになる。

本書では、コンスキエンティアとしての良心を共通のプラットフォームとすることにより、西周の時代とは比較にならないほど細分化の進んだ科学の様々な領域を相互に響き合わせ、人類が共有すべき課題や物語を多声的に語ることのできる道を示そうとしている。そのためには伝統的な良心の理解を踏まえつつも、新しい時代の課題に適応できるよう、良心を概念拡張する必要がある。

良心の概念拡張

概念拡張のための一つの方向は、冒頭でも述べた未来世代への責任（世代間倫理）を適切に認識するために、未来世代と「共に知る」視点を具体化していくことである。それは、エネルギー問題（第8章参照）や地球環境問題（第7章、第9章参照）に関しては喫緊の課題である。

また現代は、技術革新によって、自然（自然に生まれたもの）と人工（つくられたもの）の区別が曖昧になってきている。従来の「自然－人間－人工物」といった区分が流動化しているともいえる。ヒトゲノム編集、ブレイン＝マシン・インターフェースの研究(第13章参照)、人工知能研究(第10章参照)などが、その例である。こうした自然と人工物の融合が進む中で、新たな倫理的規範が求められていることはいうまでもない。人間と人工物(技術)の根源的な相互浸透性(フェルベーク 二〇一五)を視野に入れることのできる価値規範や、それを支える良心概念が求められる。「共に知る」力は人間の専有物ではない(第5章参照)。良心の生物学的基盤に光を当てることもできる(第4章参照)。人間と自然および人工物との新たな関係構築のインターフェースとしての役割を、良心概念は果たすことができるだろう。

今や専門知としてのサイエンスは一般人の手の届かないところまで行ってしまった。しかし、そのサイエンスの前で、謙虚な「無知」の認識と同時に「ありうるかぎりの明識」を探究することができれば、スキエンティア(サイエンス)とコンスキエンティア(良心)の新たな出会いが、一人ひとりが負うことのできる、そして負うべき責任を明らかにしてくれるだろう。

まとめ

- 善きことをなしていると考える科学者の手によって悪がなされることがある。こうした事態を洞察し、問題が深刻化することを未然に防ぐためには良心の社会的次元(社会的良心)が不可欠である。
- コンスキエンティアとの関係づけにおいてスキエンティア(サイエンス)の特性がより明確になり、雑多な他者(弱者)を切り捨てることによって成り立つ精緻さ、純粋さ、優越性への誘惑に抗する力を得ることができる。
- 現代的な課題に応答するためには、良心概念を拡張していく必要がある。

参考文献

ＮＨＫ「フランケンシュタインの誘惑」制作班（二〇一八）『闇に魅入られた科学者たち――人体実験は何を生んだのか』ＮＨＫ出版
隠岐さや香（二〇一八）『文系と理系はなぜ分かれたのか』星海社新書
カミュ、アルベール（一九六九）『ペスト』宮崎嶺雄訳、新潮文庫
シュヴァイツァー、アルベルト（一九五七）『シュヴァイツァー著作集第七巻　文化と倫理』氷上英廣訳、白水社
同志社大学良心学研究センター編（二〇一八）『良心学入門』岩波書店
フェルベーク、ピーター＝ポール（二〇一五）『技術の道徳化――事物の道徳性を理解し設計する』鈴木俊洋訳、法政大学出版局
レンク、ハンス（二〇〇三）『テクノシステム時代の人間の責任と良心――現代応用倫理学入門』山本達・盛永審一郎訳、東信堂

第2章　歴史にみる科学者の良心

村上陽一郎

科学研究と社会との関わりのなかで、科学者の良心の働き、あるいは倫理的な配慮が問題となるのは、ごく最近のことである。本章は、その辺の経緯を明らかにすることを目的としている。

一　科学者という職能

科学者とは

現代科学の直接の出発点は近代西欧にある。しかし、実際に「科学者」と呼ばれる社会的存在、あるいは職能が西欧に誕生するのは一九世紀も半ばごろと言ってよい。科学者を表す英語"scientist"が造語されて、使用されはじめるのは一八四〇年代以降、専門的な科学者の養成機関が高等教育の制度に組み込まれはじめるのは一八七〇年代、有機化学を唯一の例外として、科学者が一般社会における職業機会を得るのは、二〇世紀に入って、かなり経ってからのことであった。一例をあげよう。物理学者アインシュタイン(一八七九～一九五五)は二〇世紀初頭、必死になって職探しをした。彼に言わせると、友人の友情と俠気のお蔭で、ベルン特許局の三級技師にやっとありつくまで、シチリアの南端から北海にいたるあらゆる可能性を探して履歴書を送ったが、すべては無駄だった、とのこと。

ではなぜ科学者に

科学者以前の自然探究者、たとえばニュートンはなぜ自然現象の探究に向かったか、と言えば、基本は、神の被造世界に存在する神の力の顕現を追い求めるところにあった。しかし、一八世紀世俗化の革命を経た後のヨーロッパ世界に、個人的にはいざしらず、基本的な場面では、もはやそうした宗教的動機は存在しなかった。そこにあるのは、自然の中にどうしても解きたいと思われる謎を見つけ、その解明に自分を賭ける、それ以上でもそれ以下でもない、個人的な動機であった。この時期の科学がしばしば「好奇心駆動型」"curiosity-driven"と言われる所以である。この平たく言えば「知りたい」という動機に裏打ちされた科学研究という行為は、アリストテレス(三八四〜三二二 BC)が『形而上学』の冒頭で喝破したように、人間の本性に由来するものであり、それ自体は倫理的な判断の外にある。言い換えれば、良心の断ずる以前の、あるいはそれと並行した行為として、認められると言ってよかろう。

技術者との違い

ほとんど同じころのヨーロッパに出現した「技術者」(engineer＝英 ingenieur＝仏)が、同業者組合を造って、ただちに倫理綱領あるいは行動規範を発表したのは、彼らの技術を買ってくれるクライアントが社会のなかに存在し、彼らの要求に誠実に応える倫理的義務と責任があるうえに、それを実行することが一般社会の福利に反しないよう努めることにも、同じように義務と責任が生じるからであった。

初期の科学者も、同業者組合に相当する団体(「科学者共同体」と呼ばれ、具体的には「学会」である)を組織するが、倫理綱領や行動規範への関心はきわめて希薄であった。日本最大の学会と言ってよい日本化学会や日本物理学会が行動規範を公表するのは、実に二一世紀に入ってからのことである。

二　科学者の仕事

科学者の行動規範

科学研究は、個人的動機に基づくものであり、しかもその動機自体は人間の本性に基づく行為である以上、そこに倫理上の問題が生じるとすれば、研究において良心的であるか否か、という側面しか浮上しないのは、ある意味で当然である。

科学者のもう一つの特性は、高度な専門性にある。一九世紀末以降、科学は極度に専門化していく。彼らの研究内容は、共同体の同僚しか理解できない。したがって、彼らは、外部からの介入をそもそも不可能と見做し、また宗教が科学的真理に介入したとされる「ガリレオ事件」を象徴として、外部からの介入を極端に嫌う。

一九八五年全米科学アカデミーは"On Being a Scientist"というパンフレットを発行した(現在は第三版、その池内了訳を参考文献にあげる)。科学者共同体のなかで、近年研究倫理にもとる事例が多発するのに鑑み、ポスドクなどこれから科学者になろうと志す人々に、守って欲しいルールを改めて書き上げた、という趣旨の序文を持つこのパンフレットは、全二〇ページほど、その一九ページまでが、研究現場での遵守事項になっている。データを潤色したい誘惑に駆られたときは、複数著者の論文の責任の行方は、といった項目が並んでいる。最後の一ページが「社会における科学」となっており、原子力やDNA研究のように、時に研究の結果が社会に大きな影響をおよぼす可能性があることに留意すべき(原文で“should be aware”)であると書かれている。しかし、「ここでは、これ以上論じない」が、しかじかの文献を参照してほしい、でこの項は終わっている。

二〇世紀も終わり近くにおいて、科学者の行動規範として「画期的」と評価されたこの啓蒙活動でも、社会的な責任論の扱いはこの程度であった。科学者の良心は、専門同僚(研究仲間)にのみ発動されることを示す典型例であろう。

状況の変化

しかし、科学研究をめぐる歴史的状況は、第二次世界大戦を契機に大きな変化を遂げた。その最大の問題は核兵器の開発であった。周知のように、アメリカのマンハッタン計画は、物理学者シラード(一八九八〜一九六四)が、ナチス政権下のドイツが必ずや核分裂時の巨大なエネルギーを、兵器として利用するであろう、という見込みの下で、アインシュタインを語らって、時の大統領ローズヴェルト(一八八二〜一九四五)を説得したときにはじまる。実はドイツのウラン計画は、あるにはあったが、資金面でも、研究体制の面でもきわめて脆弱であり、到底成功のおぼつかない性格のものであったし、そのことは、「グリフィン」という特殊スパイの報告で、連合国側の、少なくとも限られた数のトップは、早くから熟知していたことが明らかになっている。しかし、開発の現場は、ドイツの脅威から守れ、というスローガンを強力な説得力として、科学者、技術者、軍人の総動員体制と、膨大な国家予算の下で、着々と進められ、広島・長崎へとつながったのであった。

いずれにしても、好奇心ではじまった原子核の構造解析という研究が、一国どころか地球全体の運命をも支配する可能性のある、社会的な開発へとつながった、最初で、最大の局面が、マンハッタン計画であった。

三　新しい事態に

科学者の姿勢

科学者は、いわば史上はじめて、自分たちの携わっている研究が、大量の人命を奪い、都市を破壊することになった、という局面に立たされることになったのである。その際の身の処し方には幾通りかのパターンが見られる。

その第一は、研究・開発において指導的立場にいた物理学者たち、オッペンハイマー(一九〇四～六七)、フェルミ(一九〇一～五四)、テラー(一九〇八～二〇〇三)、ローレンス(一九〇一～五八)らのそれで、少なくとも表面的には、彼らは、自分たちが手掛けた計画の実験となる日本攻撃への利用に、最終的承諾を与えたばかりか、予想以上の成果を収めたことを喜び、多くはその後のさらなる開発への協力も辞さなかった。もちろん彼らの「内心」がどうであったか、窺い知ることはできない。とくにオッペンハイマーに関して、プリンストンで親しかった人は、晩年の彼は深い「憂愁の人」であった、と述べている。

もう一方の極端は、イギリスから短期的にマンハッタン計画の現場に参加したロートブラット(一九〇八～二〇〇五)。ドイツ計画の無力さを察知したうえで、それ以上大量殺戮兵器の開発に関わりたくない、として、計画に参加することを止めている。その後、共産党との関係を取り沙汰されたり、色々苦難が襲ったが、一九九五年、パグウォッシュ会議との関連で、ノーベル平和賞を受賞している。物理学者ではないが、生化学者シャルガフ(一九〇五～二〇〇二)は、広島の記事に接した際、同じ科学に携わる自分も「共犯」であるという激しい罪障感に襲われた、と述べている。これらは科学者である前に、人間としての良心の発露が示された例であろう。なおアインシュタインは、常々平和主義を唱え、ナチス政権前のプロイセン型のドイツの雰囲気を嫌って、スイスに移住してもいるし、マンハッタン計画にも参加していない。

もう一つのパターンとして、例のシラードや、シカゴ大学の金属研究所の現場で、J・フランク(一八八二〜一九六四)を中心に、原子爆弾の(日本への)使用を止めるように、署名活動を行っている事例をあげよう。フランクはもともとドイツ生まれのユダヤ系で、七〇名の署名を集めることに成功したが、結局この署名録は握りつぶされた。この活動の主体は、倫理的配慮も背景にはあったにせよ、アメリカが最初にそのような兵器を使うことは、世界の評判を落とし、また、以降ソ連との核兵器開発競争を誘発する、こうした理由から、日本への使用に反対し、無人の環境に国連加盟国の代表を集めて、新兵器の威力を知らしめるデモンストレーションに止めるべき、という主張へつなげている。現実主義的な反対論とでも位置づけられようか。

ラッセル・アインシュタイン宣言とパグウォッシュ会議

アインシュタインは、ローズヴェルトに書簡を書いたときだけ自分は、絶対的平和主義から、相対的なそれへと宗旨替えをしていた、と嘆き、その後悔を基礎に、一九五五年ラッセル・アインシュタイン宣言起草に参加した。死の直前のことだった。哲学者ラッセル(一八七二〜一九七〇)を除く署名者一〇名は、すべてノーベル賞級の科学者であり、湯川秀樹も加わった。趣旨は核兵器廃絶と科学の平和利用にあり、この精神を受けて二年後カナダのパグウォッシュで会議が開かれた。現在まで続くこの会議は、当初核兵器を絶対悪とする姿勢を示したが、シラードのように核兵器の戦争抑止力を唱える会員も生まれ、冷戦の激化、朝鮮戦争、ヴィエトナム戦争など熱い戦争もあって、会議の傾向は、次第に抑止力論の側に移っている。また研究それ自体は、悪とすべき理由はなく、その成果をいかに外部社会が利用するかに、善悪の分かれがある、という言い分も改めて確認されていると考えられる。

四　新分野としての生命科学

生命科学の展開

医療の科学化がはじまったのも一九世紀のことだが、もともと医療はその性格上常に、外部社会の利害とつながっており、医師の倫理規定に関しては、すでに古代ギリシャのヒポクラテス(c.四六〇〜c.三七五 BC)の誓いにも明確化されている。二〇世紀半ば近くから急速に発展する生命科学は、医療との関連もあるが、その研究対象が生命現象であるところから、それ自体が社会的倫理に抵触しかねない要素を含んでいた。とくにキリスト教色の強い欧米では、生命の操作におよぶこの分野は「神の領域」に踏み込む、という問題意識が強く、そこに宗教的な問題が生じがちであった。

とくに一九七五年ころ、DNAの連鎖を、ある程度自在に、切断したり、切り取られた切片を、任意の場所に貼り込んだりする技術、いわゆるリコンビナントDNA(組み換えDNA)の技術がほぼ定着したころには、そうした原理的・宗教的な問題に加えて、恣意的なDNAの切り貼りが、危険な生命体の産生を惹き起こし、社会に災害(バイオハザード)を与える可能性も見えてきたのである。当然核兵器の場合と同様、そのような研究の成果が、生物兵器の開発に転用される、という恐れも生まれた。ここに、研究者の良心が試される現場が新しく登場したことになる。

アシロマ会議

この領域の一線級の研究者、Ｓ・コーエン（一九二二〜二〇二〇）、Ｐ・バーグ（一九二六〜）、Ｓ・ブレナー（一九二七〜二〇一九）らの提唱で、世界中から研究者代表が集められ、カリフォルニアのアシロマで一九七五年に開かれたこの会議は、いくつか研究活動に関する制限を、研究者自身が自らに科そうとした、という点で、画期的な内容を含んでいた。制限のいくつかは、技術的な性格のものであった。扱う対象の危険度に応じて、研究施設の防護手段を四段階に設定する（現在はＢＳＬ１〜４とされる）、などがそれである。しかし、最も重要と思われるのは制度上の制限であった。

それがＩＲＢ（Institutional Review Board）という制度の義務づけであった。「機関内倫理委員会」と訳されることが多いこの制度は、研究者が属する研究機関に必ず設けられ、この分野で研究しようと思う研究者は、研究目的、研究方法、使用材料その他に関して、研究計画書を作成し、ＩＲＢに提出して許可を得なければ、研究をはじめられない、というものである。とくに問題となったのは、そのメンバー構成で、当該分野、あるいは隣接分野からの委員は、委員総数の半分を超えてはならない、という付帯事項が設けられた。つまり申請を検討する人間の半数以上は、当該の専門家以外の、「外部」の人間でなければならない、というのである。これは、すでに述べた、専門性の順守、つまり科学者共同体への外部の介入を厳しく拒んできた科学者としては、明らかに異例の取り決めであった。たとえばアメリカ物理学会の代表者は、この取り決めに激怒していたことを、筆者は直接実見している。

留保はある

このアシロマ会議での生命科学者たちの行動が、倫理的な動機に基づいていたか、については、留保が必要だろう。会議の当初、出席者の多くは、会議の趣意に少なからず疑問を持ったために、会議は紛糾した。会議の動向を決定づけたのは、彼らの社会に対する責任感や、良心の発動ではなく、ある弁護士によって、今のまま研究が野放しになっていて、仮にバイオハザードが生じたとき、求められる賠償金の規模の試算が示されたときであった。

実際、現代において、研究現場に従事する科学者たちは、何とか他人に先んじた成果を挙げ、それを一刻も早く定評のある学術雑誌に、査読つき論文として発表することに、全力を傾注しており、自分の研究の成果が、社会のなかで、どのように利用され、あるいは悪用され、どのような倫理的・道徳的問題をつくり出し得るか、というような配慮をしている暇は到底ない、と考えているのが普通である。

とくに、ポストについていない若手研究者にとって、その点は切実で、彼らに人間としての深い洞察力と、倫理的責任感とを期待することは、残念ながら現実的ではない。だとすれば、このアシロマ会議で得られた一つの制度上の知恵を、広げてゆくことしか、問題の処理方法はないのではないか。

科学者共同体を開く

研究者の判断を、専門家の意見として一般の社会人が受け入れるのが通常のパターンである。したがって、研究者が、生命科学の専門家以外の、倫理学者、宗教家、普通の主婦などが、常識(良識)を働かせた結果を受け入れる、という事態は、通常から見れば方向の逆転である。しかも一方では、専門家が倫理上の判断を制度に託すれば、自分たちが、いちいち倫理的な局面にまで気を配って研究をしなければならない、という義務から自分たちを解放したことになるともいえる。ちなみに、現代日本で定着しつつある裁判員制度も、分野は違うが、同じ精神に立脚している。このように、専門家と非専門家との間の相互乗り入れは、現代社会の重要な論点であろう。

現在、世界が新型コロナウイルス感染症（COVID-19）によって、厳しい試練に立たされており、医療や疫学の専門家の見解が貴重な行動指針を与えているが、しかし、日本で実際に激烈な流行を抑えているのは、むしろ強権によるロックダウンなどよりはるかに緩い政府の「自粛要請」に対して、大部分の国民が良識を働かせて行動している結果と見ることができる。こうして現代社会は、「科学者（専門家）の良心」と、一般の社会人の良識（prudence）を両輪として、動いていくべきものである、ということを、この災禍のなかでも実感しつつあるのではないだろうか。

まとめ

- 科学者の自然研究それ自体の善悪を云々することは、どの段階でも難しい。そこにすべての科学者の「良心」の発動を期待することも、同様に難しい。
- 科学の倫理性を問題にするには、社会全体のなかに、非専門家も組み入れた制度的な対応を考えるべきである。
- 非専門家は、自分たちに関わりはない、という態度を捨てて、常に幅広い見地から問題を考える素地を培うことが求められる。

参考文献

村上陽一郎（一九九四）『科学者とは何か』新潮選書
唐木順三（二〇一二）『「科学者の社会的責任」についての覚え書』ちくま学芸文庫

全米科学アカデミー等編（二〇一〇）『科学者をめざす君たちへ』第三版、池内了訳、化学同人

第３章 研究倫理教育に何が必要か

黒木登志夫

筆者は二〇〇一年、管理職に転じたのをきっかけに、癌の基礎研究の第一線から退いた。寂しくもあったが、専門の枠を超えて、より広い視野で科学について考えられるようになったのはよかった。夢中になって癌の研究をしていたときには見えなかったさまざまな問題点がわかってきて、大学の問題、研究行政のあり方などについて、そのときどきで発言してきた。なかでも関心を惹かれたのは、二〇一四年の「ＳＴＡＰ細胞事件」とノバルティス社による「ディオバン事件」と呼ばれる研究不正であった。そして今、新型コロナウイルス感染症をめぐる問題にも発言を続けている。

本章では、まず研究倫理教育には何が必要かについて、次に職業人としての暗黙知について、思うところを率直に語りたい。

一　研究不正の分類

二〇一四年の「ＳＴＡＰ細胞事件」（体細胞に刺激を加えるだけであらゆる細胞に分化できる状態にできたという、理化学研究所の小保方晴子らが発表した研究論文がねつ造であった事件）と「ディオバン事件」（ノバルティス社の高

図3-1　これまでの研究不正分類．日本を含めほとんどの国はこの分類にしたがっている．ねつ造，改ざん，盗用は同レベルの研究不正として厳しく処分される．

表3-1　研究不正の新しい分類

クラスⅠ　研究不正 真実への背信行為	(1) ねつ造 (2) 改ざん
クラスⅡ　研究不正 信頼への背信行為	(1) 盗用 (2) 非再現性 (3) 不適切な研究行為
クラスⅢ　研究不正 生活へのリスク	(1) 健康リスク (2) 生活リスク (3) 環境リスク

血圧治療薬ディオバンの有効性に関わる臨床研究論文不正事件)について調べるうちに、私は研究不正の分類に納得がいかなくなった。これまで広く認められてきた分類は、次の二つの簡単なものであった。

- ねつ造、改ざん、盗用(Fabrication, Falsification, Plagiarism, FFP)
- 疑問ある研究行為(Questionable Research Practice, QRP)

責任ある研究行為(Responsible Conduct of Research, RCR)からQRPを経てFFPへ——白色から灰色を経て、黒色に移る——という図式である(図3-1)。しかし、これはあまりにも単純である。つまり、ねつ造・改ざんと盗用は違うレベルではなかろうか、疑問ある行為のなかには「疑問」以上に大きな問題も隠されているのではなかろうか。

これまでは、行為そのものによって分類しているのに対し、筆者は結果の視点で分類すべきと考える。それは「真実への背信」と「信頼への背信」という視点である。「ねつ造と改ざん」は前者に、「盗用」は後者に分けることとする。さらに、研究不正の結果として社会に被害をおよぼすことがあるのに気づき、「生活へのリスク」という分類項目を立てた(表3-1、Kuroki 2018)。

この分類の特徴は、①ねつ造、改ざんは、最も重い「クラスⅠ研究不正　真実への背信行為」としたこと、

②「クラスⅡ研究不正　信頼への背信行為」は、科学者と市民の信頼に背く行為として、盗用、非再現性、不適切な行為の三項目に分けたこと(たとえば、著者に関する問題行為――ギフトオーサー、ゴーストオーサー、共同研究者の同意なしの投稿――やパワーハラスメントなどは、問題ではあるが必ずしも研究不正と認識されず、処分もあいまいであったがここに位置づける)、③研究不正の結果として、わたしたちの健康、生活に問題が生じる問題を浮かび上がらせるために「リスクⅢ研究不正　生活へのリスク」に分類した(このなかで社会への影響が最も大きかったのは、一九九八年発表「新三種混合ワクチン予防接種で自閉症になる」という虚偽の論文著者のウェイクフィールドによるワクチン忌避運動と、二〇一五年に発覚したフォルクスワーゲンのディーゼル排ガス計測不正問題であった)点にある。以下研究不正対策について述べる。

二　一二の研究不正対策

研究不正を防ぐためには、「べし、べからず」を研究室の壁に貼ればよいだろうか。処罰を厳しくして、不正者を厳罰に処し、時には警察の手を借りて捜査をし、裁判所に送ればよいであろうか。

日米仏の三カ国、五つの研究所で四〇年間研究をしてきた経験から、筆者は研究の不適切な行為が、研究社会の文化ともいうべき環境に根ざしていることを知っている。たとえば「発表か滅亡か(Publish or Perish)」、不安定なポジション、研究費の不足、地位渇望、研究アイデアへの執着など、さまざまな状況が研究不正の背景になっている。そのような背景への考慮なしに、研究不正の対策は立てられない。研究者個人レベル、研究室レベル、会社レベル、社会レベルに分けて考えた一二の対策について表3-2をもとに解説しよう。

表3-2　12の研究不正対策

対策レベル	対　策
研究者	(1) 研究倫理教育 (2) 社会と人間に対する深い理解 (3) ストレスと圧力に負けない精神力 (4) 不適切な研究行為の防止
研究室	(5) チームリーダーによる責任ある指導教育 (6) 儒教精神の克服 (7) チームメンバー間のデータシェア (8) 精神的安心感 (9) いじめ、ハラスメント行為をしない
企　業	(10) 企業文化の点検 (11) 集団思考をしない
社　会	(12) 社会の監視

研究者レベルの対策

数ある職業のなかでも、アカデミア(大学などの研究機関)はユニークな職業の場である。

日本国憲法第二三条には「学問の自由は、これを保障する」と明記されている。学問の自由が保障されているということは、学問をする人自身にそれに応える責任があるということだ。科学者は、責任をもって、公正に研究を行わなければならない(research integrity)。研究者レベルでの対策に次の(1)〜(4)がある。

(1)研究倫理教育——研究者への対策で一番大事なのは、研究倫理の教育である。中高生の間でも、レポートにはコピー&ペースト(コピペ)があふれている。彼ら/彼女らは、コピペが盗用行為であることを知らず、信頼への背信行為であるとも思わず、パソコン上で文章や都合のよいデータを、マウスを使って簡単にコピペしてしまう。都合のよいデータだけを選ばない、都合の悪いデータを隠さない、データは統計処理をするなどの研究の基本は、できるだけ早い段階で、若いうちから教える必要がある。

研究倫理教育は、若い研究者、学生だけを対象とするものではない。いくつかの研究不正では、教授クラスが行った例がある。若手の研究者には、とくに留学前に、繰り返し教育をする必要がある。医学系では留学の短い期間に論文を仕上げることを要求されるため、不正をする例が繰り返し報告されている。

（2）社会と人間に対する深い理解――科学者は自分の狭い専門分野に閉じこもりがちである。しかし、よい研究をするためには、社会と人間、そして、自然に対する深い理解と尊敬がなければならない。シグナル伝達の研究で不正をしたスペクター、超伝導実験結果をねつ造したシェーン、「STAP細胞事件」の小保方は、いずれも若い研究者だった。彼ら／彼女らは最先端の知識と技術をもっていたかもしれないが、一番大事な科学の本質について、まったく理解していなかったのだ。

自然科学者は、人間と社会について理解し、人文社会学系の研究者は自然科学の進歩について、常に注意を払っていてほしい。科学技術がめざましく進展しつつある今ほど、教養教育が必要なときはない。

（3）ストレスと圧力に負けない精神力――研究不正をした人は、しばしばストレスと圧力に負けたと弁解し、そのような状況をつくった人に責任があるという。確かに、任期制のポジション、採択の厳しい研究費申請、論文の締め切りなど、研究者を取り巻く環境は厳しい。しかし、この世の中で、ストレスも圧力もない職業などめったにない。それに負けないだけの精神力を養わなければならない。

（4）不適切な研究行為の防止――多くの社会現象はピラミッド構造をしている。たとえば、産業事故にはハインリッヒの法則というピラミッドが知られている。重大の産業事故一件の下には、二九のマイナーな事故があり、その下には三〇〇件の間違いがある、というものだ。多くの病院では、医療事故を防ぐためにヒヤリとした経験、ハッとした経験をもち寄り、重大な医療事故を防ぐ会を定期的に行っている。同じように、研究不正まではいかないまでも、不適切な研究行為を防止することが重大な不正を防ぐために重要である（図3－2）。

マーチンソンは、NIH（米国立衛生研究所）の研究費を取得している若手研究者四一六〇名、中堅の研究者三六〇〇名に、不適切な行為の経験についてアンケート調査をした。その結果は「科学者は悪い振る舞い

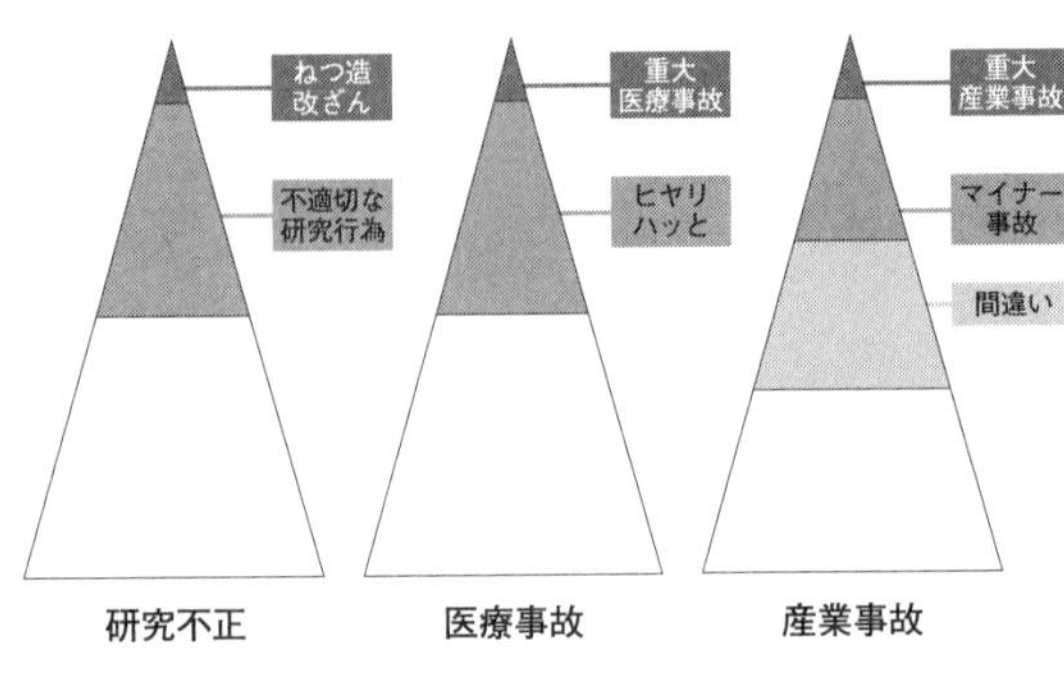

図3-2　研究不正，医療事故，産業事故のピラミッド構造．底辺の改善により重大事故を防ぐ．

をしている(Scientists behaving badly)」というショッキングなタイトルで科学雑誌『ネイチャー』に発表された(Martinson 2005)。たとえば、データの改ざん(〇・三%)、他人の不正の見逃し(一二・五%)、他人のアイデアの無断使用(一・四%)、矛盾するデータを隠す(一・七%)、人を対象とした不適切な実験(〇・三%)、研究費提供者の圧力による研究方法、デザイン、結果の変更(一五・五%)などである。一〇の問題項目について、経験があると自己申告した研究者は三三%にのぼる。三分の一の研究者が経験している不適切な研究行為を防止することが、重大な研究不正の対策として有効である。

研究室レベルの対策

自然科学研究の大部分は、研究室単位のチームで行われる。研究室は、研究者を教育する現場でもある。研究倫理教育と同じ程度に、あるいはそれ以上に、研究室は、研究者養成において重要な場である。同時に、研究室の運営も研究不正を防ぐうえで重要である。次の五項目にわたって研究倫理教育上の研究室対策を述べる。

(5)チームリーダーによる責任ある指導教育——教育できないほど学生が多いと、きめ細かな指導はできなくなる。指導者が会議や学会で不在がちな研究室も、指導が十分に行き届かない恐れがある。

(6)儒教精神の克服——アジアの研究不正を分析していると、研究チーム、同僚、学会などが、どうして気がつかなかったのか不思議に思うような例がある。佐藤能啓(弘前大学)の大規模な臨床研究のねつ造(二〇〇〇年代に高齢者の骨折予防薬物に関してねつ造論文を三三編以上出版した)は、なぜ、周囲の人が気づかなかったのかと思わざるを得ない。この事件について、ある教授は「日本では教授を批判しない」と『サイエンス』誌の記者に答えた。何ごとがあっても教授を敬い、批判しないというのは、儒教の教えの弊害ではなかろうか。韓国の黄禹錫の場合(二〇〇四年、卵細胞に成人細胞の核を移植することにより幹細胞をつくったというねつ造論文)も、日本よりも儒教の教えが強いがゆえに、何十人もの共同研究者が不正を指摘できなかったのではなかろうか。

大事なのは、地位、年齢の問題ではない、科学的な視点から正しいことを正々堂々と発言する相互批判精神である。

(7)チームメンバー間のデータシェア――「STAP細胞事件」ではずさんな実験ノートが問題になった。実験ノートをきちんとつけ、データをチームの仲間の間で共有するのもチームリーダーの仕事である。実際、どの研究室でも定期的に、研究の進捗状況をメンバーによって検討するような会がもたれている。しかし、実験ノートをみなでシェアするまでは行かないのではなかろうか。

学ぶべきは、病院の電子カルテにある。電子カルテはデータをコンピュータで管理するだけではなく、そのデータを関係する人たちでシェアすることができる。ある患者の診療記録は、その病棟だけでなく、手術室でも検査室でも見ることができる。データをシェアすることによって、医療事故を防ぐことができる。研究室でも電子カルテ方式を取り入れて、関係者でシェアできるようにするべきである。

(8)精神的安心感――研究室のチームメンバーは、年齢構成、経験の程度、研究背景などがかなり広い範囲にわたっているのが普通である。そのような人たちをまとめていくのは、リーダーの務めであるが、容易でない。グーグルの組織管理担当者は、一番よいチームワークは「精神的安心感(Psychological safety)」であるという結論に達した。それは、すべての人が何を言っても受け入れられるような環境だという。そのようななかで、みんなが率直に意見を言えることが、よいチームづくりにとって重要だというのだ(Rozovsky 2015)。

もちろん、競争の最中にあっては、カリスマ性のあるリーダーの強力なリーダーシップが必要であり、そうでなければ研究競争に勝てない。それでも、自由に意見を言える雰囲気があってこそ、チームの成果は上がる。このような雰囲気は、同時に、研究不正の防止に貢献するはずである。

(9)いじめ、ハラスメント行為をしない——精神的安心感の正反対にあるのが、いじめ、ハラスメントである。そして、そのような事例は、アカデミアにおいても後を絶たない。とくに、弱い立場の学生が犠牲になる。研究不正に直接関わるわけではないが、研究公正の立場からは見逃すことはできない。実際の例では、教授の強い命令に逆らえず、画像の改ざんを行った学生は、学位を剥奪されている。ねつ造、改ざんなどを指導者から強制されたら、学生は迷うことなく断るべきである。それでも強制されたら、大学の担当者に相談することを勧める。不正をすれば、その結果は自分自身に降りかかってくるからである。

企業レベルの対策

企業の研究にも不正が絶えない。一般的に企業の不正はなかなか表に現れず、わかったときには企業の存亡に関わるような大事件になっていることがある。企業の不正はどこに問題があるのだろうか。

(10)企業文化の点検——企業の不正行為は、会社ぐるみのことがめずらしくない。たとえば、メガファーマといわれるノバルティス、グラクソ・スミスクライン、ファイザー、メルクなどの製薬会社は、副作用を隠し、効果を強調した薬を販売している。そのような論文は、ゴーストライターが書き、その分野の権威者の名前で発表される。問題が発覚し、被害者に大金を支払うことになっても、会社はそれ以上の利益を挙げている。

ドイツの自動車製造会社フォルクスワーゲンは、規制をクリアするための排ガス測定の不正が二〇一五年にばれても二年にもわたり隠し続けたが、社内から内部告発者(whistle blower)は現れなかった。最終的には社長を含む幹部が告発され、賠償金、リコール、販売減などで大きな犠牲を払ったが、二〇二〇年現在、フォルクスワーゲンは依然として、世界トップの座をトヨタと争っている。

これらの問題は、企業の文化、システムと幹部、従業員の意識の問題である。簡単には正しようがないだろう。

(11)集団思考をしない――集団思考(Group thinking)は、単にみんなで考えることではない。社会学、心理学の専門用語で、組織の内部で批判なしに、みんなが同じような考え方をすることである。「忖度」もその一つといってよいだろう。「フォルクスワーゲン事件」でも、関わった何千人にもおよぶであろう技術者と、経営陣は誰一人、不正を批判することなく、集団思考に陥っていた。

社会レベルの対策

研究不正に限らず、社会の悪い行為をやめさせるためには、社会と市民の監視が重要である。

(12)社会の監視――社会の監視が不十分で、賄賂が横行し、犯罪も取り締まれないような国では、研究不正も野放しになるであろう。社会と市民の監視は、研究不正防止対策のなかでも重要な位置を占めている。日本では、STAP細胞事件を機に、研究不正に厳しい社会の目が向けられるようになったことが、その防止の大きな支えになっている。

三　暗黙知

アインシュタインは「学校で学んだことを一切忘れてしまったときになお残っているものが教育だ」と言ったという。そう言われると、誰でも自信がなくなる。学校で、そして社会で学んだことを糧に、職業人として生きていこうとし、あるいは生きてきたのに、その職業としてきた知識と技術がなくなったら、何が残っているのだろうか。ただのおじさん、おばさんになってしまうのではなかろうか。そのことを恐れる。

「暗黙知」という概念がある。ハンガリーの哲学者マイケル・ポランニー(一八九一～一九七六)によれば、われわれのもっている知識には、簡単に言葉にできない暗黙知(tacit knowledge)と、言葉で説明できる形式知(explicit knowledge)があるという。形式知が論理的推論によって導かれるのに対し、暗黙知は個人的な経験のなかで獲得され、その人のなかの、いわば底辺に蓄積されているような知識である。アインシュタインが指摘したのは、まさに暗黙知のことではなかったか。

われわれは、学びと経験を積み重ねるなかで、本人も気がつかないうちに、書きとどめられたメモ帳が、心の底にあるはずだ。そのメモ帳が何冊にもなり、知識を裏打ちし、一つの哲学となる。それが、その人の人となりを支え、発言と行動によって表に現れる。それが暗黙知であろう。

コロナ禍のなかにあって、われわれは、社会から隔離された生活を送るようになった。平板な毎日。スマホで確認しなければ、曜日も忘れがちになった。時間の感覚があいまいになった毎日。われわれは何を考え、何をしてきたのか。職業としての知識が消えそうになるなかにあって、暗黙知と向かい合うことができたであろうか。コロナは、一つの機会をわれわれに与えてくれた。コロナ後の社会にあって、われわれは何をすべきか、何をコロナ前に戻したいのか、戻したくないのか、表面的な知識ではなく、暗黙知と会話をしながら、考え直さなければならない。

まとめ

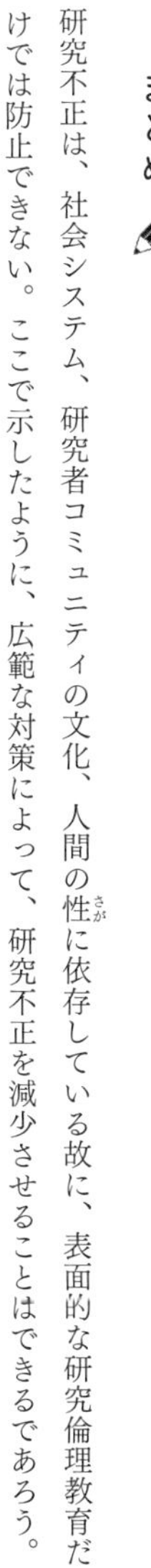

- 研究不正は、社会システム、研究者コミュニティの文化、人間の性（さが）に依存している故に、表面的な研究倫理教育だけでは防止できない。ここで示したように、広範な対策によって、研究不正を減少させることはできるであろう。しかし、完全に排除することは不可能である。
- 科学者が、専門家が尊敬されるとしたら、それは表面的な専門知識のためだけではない。彼ら／彼女らが積み重ねてきた良心と見識が、暗黙知としてその底辺にあるからだ。コロナ禍にあって、われわれは、自らの暗黙知と向かい合うことができたであろうか。

参考文献

Kuroki, T. (2018) "New classification of research misconduct from the viewpoint of truth, trust, and risk", *Accountability in Res.*, 25(7), 404–408
doi: 10.1080./08989621.2018.1548283
Martinson, B. C. et al. (2005) "Scientists behaving badly", *Nature*, 435, 737–738
doi: 10.1038/435737a

Rozovsky, J. (2015) "The five keys to a successful Google team"
https://rework.withgoogle.com/blog/five-keys-to-a-successful-google-team/

II

進化・利他性・共感と良心

第4章　ヒトの良心の発達とその生物学的基盤

明和政子

一　「社会的な生物」としてのヒトの良心

ヒトは、長い時間をかけて生後の環境の影響を受けながら脳と心を発達させる。とくに、他の生物にはみられないほど高度な社会性をもつヒトにとって、他個体との社会的な相互作用経験は、ヒト特有の心的機能を創発、発達させるうえできわめて重要である。

ヒトは、たいへんユニークな環境の中で育ちはじめる。養育者は乳児を抱きながら、あるいは手をとりながら同時に目を見つめ、表情を変化させ、声かけを積極的に行う。こうした養育者からの働きかけは、他の霊長類や哺乳類動物ではみられない。そして、乳児は生後半年を過ぎる頃から、相手が注意を払う物や出来事を目で追いはじめる(視線追従)。見知らぬ物に出くわすと、養育者と物とを交互に見比べて情報を得ようとする(社会的参照)。自分が興味ある物や出来事を指さすことで、相手の関心を引き寄せようとする(共同注意)。つまり、相手の心の状態と自分のそれとを関連づけ、相手の視点を通して環境を探索しようとする行動が顕著に起こりはじめるのである。こうした社会的行動は、チンパンジーでもほとんどみられない(明和二〇一二)。ヒトほど、他個体と行為やその背後にある心の状態を共有する経験をもちながら成長する生物はいないのである。

本章では、ヒト特有の社会性を軸として、ヒトはいつ、どのように「良心(conscience)」――個人が社会の価値観、規範に照らし合わせ、ことの善悪を判断しようとする心の働き――を創発、発達させていくのかという問いについて考える。他個体との関係において良心を働かせることは、生存可能性を高める適応戦略である。集団内で良心を共有することにより、協力的で安定した集団形成、維持が可能となる。しかし、ある集団内で共有される良心が、他の集団においても適応的に働くとは限らず、むしろ、集団間の分断、軋轢、対立を生み出す動因ともなりうる。現代の情報科学技術の急激な発展は、個や社会の多様な価値観を容易に分断、対立させる負の側面を生み出してきた。個々の道徳や倫理、社会的規範、文化的な価値観が多様に混在する環境で生存してきたヒトの本質の科学的理解、それに基づいて未来社会を設計するためのビジョンづくりが今こそ求められている。ヒトの良心が創発、発達する動的プロセスとその背後にあるメカニズムの解明は、その第一歩として重要な役割を果たすものである。

二　良心が獲得される発達の道すじ

ヒトは、いつから、どのように他個体の行為の善い・悪いを判断する認知能力を創発、発達させるのだろうか。これまでの研究を概観すると、ヒトの良心の発達には三つの注目すべき時期があることが示唆されている。①生後早期から前言語期、②生後三年目以降、③思春期、である。本章では、ヒトの発達初期①②に焦点をあて、③の時期にみられる特性については別稿に譲ることとする(明和 二〇一七を参照)。

「善い」行いを好むヒト――生後早期

最近の発達研究は、ヒトは生後早期からすでに他個体の行為の善悪判断を行っている可能性を示している。ハムリンらは、A、B、Cの三種類の図形を用いて、それらが動いて相互作用する映像を生後六カ月と一〇カ月の乳児に見せた。一つは、AがCの行為を助けようとふるまう場面、もう一つは、BがCの行為を妨害しようとふるまう場面であった。その後、実験者はAとBの実物を二つ並べて乳児に提示し、どちらに接近しようとするか(手伸ばし反応)を調べた。その結果、乳児は、他者を妨害した図形を避け、他者を助けようとした図形に接近した(Hamlin et al. 2007)。その後、彼女たちは類似の実験パラダイムを用いて、生後三カ月の乳児ですら他個体を妨害する図形を注視しない、つまり、避けることを報告している。

二者間より複雑な相互作用場面でも、乳児は善悪の判断を行っているらしい。鹿子木らは、六カ月児が攻撃者から犠牲者を守ろうとする行為を肯定し、そうしたふるまいをする図形を好むことを示した(Kanakogi et al. 2017)。この実験では、攻撃者と犠牲者の間で起こる相互作用を止める、あるいは止めない第三者の図形のふるまいを見せた。その後、第三者の図形の実物二つを乳児の目の前に提示すると、犠牲者に対する攻撃者の行為を止めようとした図形の実物のほうを好み、接近した。

生後早期の乳児を対象とした研究については再現性の問題が指摘されており、その解釈には慎重にならねばならないが、ヒトは、少なくとも生後半年頃には他個体の行為の善悪を判断し、善い行いをする個体を選好する性質をもっている可能性がある。

善悪判断する相手の選択と文脈依存――生後三年以降

生後早期に報告されている他個体の行為の善悪判断においては、将来、その個体から見返りを得られる可能性が高いか、生存に関わる個体であるかといった点で選択、特定されることはない。善悪を判断する文脈も「助ける―妨害する」といった単純な場面に限られている。

しかしその後、ヒトの善悪判断に関わる心の働きは、時と場合(文脈)によって変容する複雑なものとなっていく。生後一年を過ぎる頃から、ある目標を達成できない他個体を目にすると、それを援助しようとする向社会的行動が出現するが、この段階では、援助しようとする者は特定の誰かではない。しかし、生後三年目以降、向社会的行動をする相手は個別的、選択的となる。四歳になると、他個体に意地悪なふるまいをした者に対しては、他個体を助けた者あるいは中立な立場をとった者ほど助けようとしない。見知らぬ個体よりも血縁関係にある個体に対し、また、ある物を自分と共有しなかった者よりも共有した経験をもつ者に、さらには、第三者と物の共有をしなかった者よりも共有した者に対し、より多くの分配を行う。

ヒトは、「内集団バイアス(in-group favoritism)」と呼ばれる認知特性をもつ。自分が属する内集団の者に対して、外集団の者に比べて(実際には差はないにもかかわらず)人格や能力が優れている、信頼できると評価するなど、好意的な認知、感情、行動を示す傾向を指す。また、他個体の不幸や苦しみ、失敗を見聞きしたとき、それが内集団の者であれば共感を覚えるが、外集団の者である場合には喜びや嬉しさ、といった相反する快感情が喚起する(シャーデンフロイデ Schadenfreude)。

こうした認知バイアスがいつ頃からみられるかを検証した発達研究がある。生後一〇カ月、二歳半、五～六歳の乳幼児に、見知らぬ他個体が彼らに物を渡そうとする、あるいは彼らが他個体に物を渡す場面を見せた。他個体は二人いて、一方は乳幼児と同じ色の肌を、もう一方は異なる色の肌をもつ者であった。母語に対するバイアスも考慮するため、ある条件では両者が同じ言語を用いて乳幼児に語りかけ、もう一つの条件では言語を介さずに微笑むだけとした。その結果、言語経験の有無によらず、一〇カ月児では二人から物を受け取る割合に違いはみられなかった。また、二歳半児が物を渡す場合にも差異はみられなかった。ところが、これら二つの場面の映像を五～六歳児に見せると、彼らは同じ肌の色をした者から物を受け取る、あるいは渡すと回答した(Kinzler & Spelke 2011)。肌の色に基づく内集団バイアスは、生後数年をかけて形成されるものであるらしい。

関係する他個体の選択について、進化生物学ではさまざまな理論が提唱されている。遺伝子を共有する血縁個体の繁殖成功率を高める「血縁選択(Hamilton 1964)」、つきあいが続く二者間で見返りが期待される程度に応じて利他的にふるまう「互恵的利他行動(Trivers 1971)」などである。直接の利害関係にない者に対しても起こる利他行動は、所属する集団内でよい評判がたつと、結果的に他個体が自分に利他的にふるまうだろうという期待に基づく「間接互恵性(Nowak & Sigmund 1998)」もある。ヒトが明確な根拠なしに内集団の者をひいきする心的特性の背景にはこうした生存上の理由があると考えられるが、この特性は、生後三年以上にわたる環境経験(社会的規範や文化的価値観)の影響を受けながら漸次的に形成されるものである。

三　善悪の判断に関わる脳内メカニズムとその発達

ヒトは生後早期から「プラス(善)―マイナス(悪)」の軸を基本として他個体の行為判断を行う認知能力をもつ。その原初的形態は、生後四年を迎える頃あたりから、判断する相手や判断の文脈によって変容する。そうした発達的変化の背後には、どのようなメカニズムが存在するのだろうか。ここからは、善悪判断に関わる心的機能の脳内基盤とその機序に焦点をあてる。

わたしたちは、相手が笑っていたり、痛がっていたりするようすを見ると、その人の心の状態がまるでわがことのように感じられる。しかし、社会で円滑な関係を築き、生きていくためにはそれだけでは不十分である。自身に嬉しいことがあっても、目の前にいる友人が悲しんでいるときには笑顔を抑制すべきだと考える。つまり、他個体にとっての行為の善し悪しを判断するには、自分の心は相手のそれと独立したものであることを理解し、さらに相手の立場にたって心の状態をイメージ、推論する認知作業が必要となる(図４－１、明和 二〇一八)。

これまでの研究で、他個体の心の理解に関与する代表的な脳内ネットワークが二つ特定されている。「ミラーニューロン・システム」と「メンタライジング」である。

ミラーニューロン・システム

「ミラーニューロン(mirror neuron)」は、その名のとおり、他個体の心の状態を自分のものとして無意識的、反射的に理解することに関わる神経細胞である。サルの下前頭回の単一ニューロン(神経細胞)の活動としてはじめて記録された(Di Pellegrino et al. 1992)。ヒトではｆＭＲＩ(機能的核磁気共鳴映像法)などの非侵襲的な脳イメージングにより、サルのミラーニューロンに相当する部位(ミラーニューロン・システム、以下ＭＮＳ)が特定されてきた。言語産出にかかわる脳のブローカ野を含む下前頭回(ＩＦＧ)や下頭頂小葉(ＩＰＬ)、上側頭溝(ＳＴＳ)などからなるシステムである。

ＭＮＳは、観察した行為を自らが実行できる行為と照合させる機能をもつ。自分が経験したことのある行為であれば、他個体のようすを観察しただけで、その行為の結果や意図が自動的に予測される。レモンをかじって酸っぱそうな表情をしている人が目の前にいると、自分はレモンをかじったわけでもないのに自然と

図4−1　他個体の心を理解するには，自分の心と他個体の心はそれぞれ独立したものであることを理解し，相手の視点や心の状態をイメージ，推論する能力が必要である(明和 2018).

唾液が溢れてくる。こうした身体反応、無意識レベルの共感はMNSの働きによって起こる。

ヒトでは、生後半年頃にはMNSが機能すると考えられている。発達早期にみられる相手を特定しないレベルの善悪判断は、生来的というよりも、この時期までの経験による無意識レベルの共感が関与している可能性もある。

メンタライジング

MNSによる行為理解は、自動的、反射的な情報処理に基づくものであった。それに対し、他個体の心の状態を自分のそれと独立させて意識的に理解する認知能力を「メンタライジング(mentalizing)」という。メンタライジングに関与する神経ネットワークは、MNSの活動をトップダウンに抑制する。それにより、自分とは異なる他個体の心の状態を推論したり、文脈に応じて解釈したりすることが可能となる。メンタライジングは、ヒトに特異的な高次認知機能

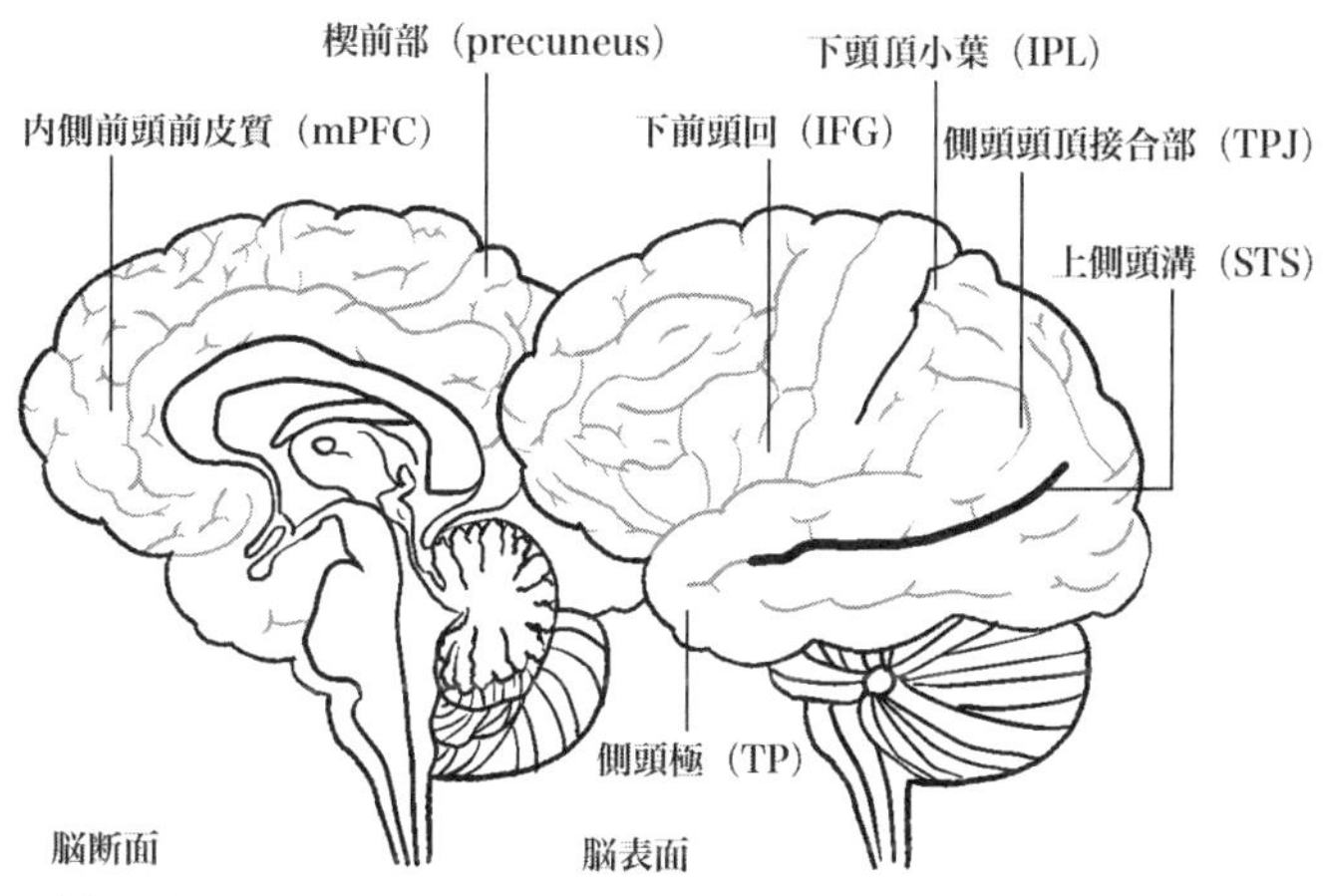

図４−２　ミラーニューロン・システムは，下前頭回(IFG)や下頭頂小葉(IPL)，上側頭溝(STS)から成る．メンタライジングには，内側前頭前皮質(mPFC)や側頭頭頂接合部(TPJ)，側頭極(TP)，楔前部(precuneus)が関与する．

と考えられており、生後四年目頃に第一の顕著な発達を遂げる(明和 二〇一九)。

メンタライジングの中枢は、前頭前皮質である。前頭前皮質は進化的に最も新しい脳部位であり、ヒトでは大脳皮質全体の約三分の一を占める。前頭前皮質の内側部(ｍＰＦＣ)は、状況の推測や適切な行為選択に関与する部位である。また、側頭頭頂接合部(ＴＰＪ)や側頭極(ＴＰ)、楔前部(precuneus)の関与も知られている(図４−２)。ＴＰＪは、図４−１に示した視点変換に関わる領域である。

ヒト特有のメンタライジングの中枢である前頭前皮質について、特筆すべき点がある。ヒトの前頭前皮質の成熟には、二〇年以上もの時間がかかるという事実である(Gogtay et al. 2004)。ヒトの良心の成熟は、第三の顕著な発達的変化を遂げる思春期以降まで待たねばならないが、これは前頭前皮質の成熟の遅さと密接に関連している。

四　ヒトの良心を育むために必要な環境

人類は今、未曾有の時代を迎えている。情報科学技術の急激な発展は、ＳＮＳ等のソーシャルメディアでつながる仮想世界を構築してきた。そこでは、自分の価値観に合った情報のみを自由に選択でき、異なるものは無視する、情報を精査せずに意思決定するなど、自分にとって心地よい集団を自由に形成することができる。悪意や扇動の意図をもつ情報操作が容易となり、個や社会の多様な価値観を分断する方向に軋轢が拡大している。そして今、わたしたちは、新型コロナウイルス感染症の猛威に直面している。コロナ禍の日常は、仮想世界でのコミュニケーションをいっそう加速させており、今後、感染症の流行が収束したとしても、この流れは止まることはないだろう。

二〇万年前に誕生したヒトは、身体、脳や心、行動特性という生物学的制約のもと、環境に適応して生存してきた。この事実をふまえると、この数十年の間に激減した環境に対し、ヒトが容易に適応できるとは考えにくい。とくに、環境の影響を強く受けやすい発達途上の脳をもつ子どもたちに、何かしらの影響がみられる可能性は否定できない。ヒトの良心は進化の産物である。良心を他個体と共有することによって、ヒトは安定した集団、社会を形成、維持し、それは次世代の脳と心を育む環境ともなってきた。生物としてのヒトの脳や心の働きを創発、発達させるために必要な環境とは何か、次世代にどのような未来環境をつないでいくべきかを真剣に考えるべき時期を、わたしたちはすでに迎えている。

まとめ

- ヒトの良心は、生後早期、生後三年目以降、思春期以降の三期に、脳成熟にともない顕著な発達をとげる。
- ヒトの良心は、社会的な生物であるヒトが環境に適応しながら長い時間をかけて獲得してきた進化の所産である。
- ヒトの良心を支える種特有の心の働きは、異なる個や集団・社会、異なる時代の良心を俯瞰し、客観的に理解することを可能にする心の働きでもある。

参考文献

明和政子(二〇一二)『まねが育むヒトの心』岩波ジュニア新書

明和政子(二〇一七)「第7章 発達支援と教師の仕事」高見茂・田中耕治・矢野智司編著、高見茂・田中耕治・矢野智司・稲垣恭子監修『教職教養講座 第一巻 教職教育論』協同出版、一二七―一四六頁

明和政子(二〇一八)インタビュー記事『Learning Design』二〇一八年一一―一二月号、日本能率協会マネジメントセンター

明和政子(二〇一九)『ヒトの発達の謎を解く――胎児期から人類の未来まで』ちくま新書

Blakemore, S.-J. (2008) "The social brain in adolescence", *Nature Review Neuroscience*, 9, 267–277

Gogtay, N., Giedd, J. N., Lusk, L., Hayashi, K. M., Greenstein, D., Vaituzis, A. C., Nugent, T. F. 3rd, Herman, D. H., Clasen, L. S., Toga, A. W., Rapoport, J. L., & Thompson, P. M. (2004) "Dynamic mapping of human cortical development during childhood through early adulthood", *Proceedings of the National Academy of Sciences of the United States of America*, 101, 8174–8179

Hamilton, W. D. (1964) "The genetical evolution of social behavior I & II", *Journal of Theoretical Biology*, 7, 1–52

Hamlin, J. K., Wynn, K. & Bloom, P. (2007) "Social evaluation by preverbal infants", *Nature*, 450, 557–559

Kanakogi, Y., Inoue, Y., Matsuda, G., Butler, D., Hiraki, K., & Myowa-Yamakoshi, M. (2017) "Preverbal infants affirm third-party interventions that protect victims from aggressors", *Nature Human Behaviour*, 1, 0037

Kinzler, K. D. & Spelke, E. S. (2011) "Do infants show social preferences for people differing in race?", *Cognition*, 119, 1–9

Nowak, M. A. & Sigmund, K. (1998) "Evolution of indirect reciprocity by image scoring", *Nature*, 393, 573–577

Nyström, P., Ljunghammar, T., Rosander, K. & von Hofsten, C. (2011) "Using mu rhythm perturbations to measure mirror neuron activity in infants", *Developmental Science*, 14, 327–335

Di Pellegrino, G., Fadiga, L., Fogassi, L., Gallese, V., & Rizzolatti, G. (1992) "Understanding motor events: A neurophysiological study", *Experimental Brain Research*, 91, 176–180

Trivers, R. (1971) "The evolution of reciprocal altruism", *The Quarterly Review of Biology*, 46, 35–57

第5章 生物の利他的行動の実体と課題

元山　純

良心はヒトがつくり出した概念である。良心の起源を他の生物種の脳機能のなかに探し出すことは可能だろうか。良心を生み出した脳機能がヒトの脳にあるならば、他の動物にその起源が存在していてもおかしくない。チャールズ・ダーウィン(一八〇九～八二)が提唱したように、この地球上に生きているすべての生物は共通の祖先から変化(進化)してできたと考えられる。記憶や認知の機能はヒトの脳にだけ備わったのではない。同様に、良心の基礎となる脳の機能も進化の過程で生じてきたと考えられる。

本章では、他者に対する利他的行動や協調関係に着目し、ヒトと他の生物間で比較してみる。ヒト以外の生物でも利他的行動や協調関係は多く観察されている。とくに、他者と自己の関係を「同種間の関係」と「異種間の関係」に分けて、ヒト以外での事例を見ていくことで、ヒトの利他的行動の実体と、向かうべき方向を考察してみよう。

一　同種間の関係

社会性を示す昆虫の場合

ミツバチ、アリ、シロアリのような社会性昆虫は、血縁関係のある集団が巣をつくる。その巣の中で、集団内に複数のカースト(階級)をつくることで集団の拡大(繁殖)、子の飼育、巣内の清掃・修繕・換気・拡大・餌の運搬、巣外での食料の調達・運搬、外敵の排除といった役割を分担している。多くの場合、巣内で繁殖に携わるメスは一匹(女王)である。雄と女王が交尾し、その後、女王が単独で営巣、産卵する。孵化した子が成長すると働きバチ(アリ)もしくは兵隊バチ(アリ)となり、その後は女王が働きバチ(アリ)や兵隊バチ(アリ)を産み続けることで、群れは大きくなる。働きバチ(アリ)は繁殖を行わず、子の飼育、巣の拡大・修繕・維持、食料の調達、兵隊バチ(アリ)は外敵の排除に携わる。働きバチ(アリ)は子の飼育、すなわち餌やりから排泄物の除去等に携わるが、働きバチ(アリ)にとって子は働きバチ(アリ)の子ではなく妹弟にあたる。面白いのは働きバチたちの年齢と仕事の関係である。彼らは幼少時には子の飼育、巣の掃除・拡大・修繕・維持といった巣内の仕事を行い、成熟してくると巣の外に出て食料を調達するという危険な仕事に従事するのである(佐々木二〇一一)。

これら働きバチ(アリ)や兵隊バチ(アリ)の行動は典型的な利他的行動であると考えられている。ミツバチの脳を構成する神経細胞は約九六万個ある。ヒトの全神経系の神経細胞の数がおよそ八六〇億個なので、比較すると一〇万分の一のサイズである。このことから、脳の大きさと社会を構築し維持する能力との間に関係がないことがわかる。

昆虫が巣という社会をつくり、維持するうえで重要なのは、仕事の役割を分担する専門職個体の分化と個体を制御するホルモンなど、生体分子による個体間相互作用だろう。それらによって巣の構築と維持および個体の制御を行っていると考えられる。

血縁関係のない社会をつくるコウモリの場合

ナミチスイコウモリは、血縁関係のない複数のメスが群れをつくり、洞窟などに巣を設け集団で子を育てる。南北アメリカ大陸の熱帯地方原産の哺乳類で、鳥類、ウシ、ウマ、ブタ等の血液を吸って餌として生きている。群れをつくるのは子らの保温と捕食者からの防御のためと考えられる。子育て期間は九カ月と長期であり、その間、母親は自分の子に、外で吸ってきた血液を吐き戻して与える。興味深いのは、外で血を吸えずに帰ってきた仲間にも血を吐き戻して与える事実である。

他の個体への食料の提供は、限られた関係をもつ個体間で行われることがわかっている(Carter et al. 2015)。この研究では、他のメスに食料を分け与えたことのあるメス(利他的メス)は、食料を他の個体に分けたことのないメス(利己的メス)に比べ、空腹の際に多く食料を他の個体から分けてもらえることが観察された。また、以前に自分が空腹だったときに食料を分けてくれなかったメス(利己的メス)には、食料を要求されても拒むことが観察された。さらに、空腹のため仲間に食料を分けることができなかった利他的メスは、食料が手に入ると普段以上に仲間に食料を与える行動を示した。すなわち、ナミチスイコウモリのメスは、飢餓状態になったときに誰を頼ればよいかを常に意識している可能性があり、その関係を維持すべく注意している様子が観察されている。

このナミチスイコウモリの行動は、互恵的利他的行動と考えられる。利他的行動によって仲間関係を形成することが、餌が手に入らない緊急事態に対する保険契約として働いているのである。仲よしグループをつくり、それを維持することがメスの子育てを助け、環境の変動に対する適応を高めている。

さらに興味深いのは、血縁関係に依存しない互恵的な関係である点にある。母親は、自分の子が空腹であることを把握しているだけでなく、他の母親が、食料を獲得できなかった場合も把握している。成体のメスやオスが自分の子へ給餌を行う動物は普遍的だが、給餌の対象が他個体の子や、ましてや血縁のない他の成体へ拡大するのが特徴的である。

もう一つの興味深い点が、この利他的行動の発達過程にある。報告によると、群のなかには利己的個体や利他的個体といった、餌の分配に関する行動パターンの個体間での多様性があることが観察されている。行動パターンの多様性については遺伝的な違いによる可能性と、それぞれの個体の発達過程における経験による可能性が考えられる。また、互恵的利他的行動が限られた仲間(仲よしグループ)の間で成立するためには、個体を識別し記憶する能力と、過去の個体間での餌のやり取りの履歴とを組み合わせて判断する能力が必要である。ナミチスイコウモリは、それら様々な記憶情報を統合し判断している可能性がある。

ヒトの場合

社会性昆虫とナミチスイコウモリとヒトを比較してみよう。社会構造や行動を比較すると、ヒトの利他的行動も、今まで述べた社会性昆虫やナミチスイコウモリの互恵的利他的行動の延長線上にあると解釈できるのではないか。三種共に行動の基本は、親(あるいは兄や姉)が子を育てること、集団で子育てを行い生活すること、その集団を基礎にした社会を成すことであり、多くの部分で共通している。

利他的行動を支配するメカニズムのうち、遺伝的に備わっている部分と経験依存的に成立する部分の比率は動物種によって様々である。アリやハチ等の社会性昆虫の利他的行動は、おそらくほぼすべてが遺伝的に制御されたものであるのに対し、ナミチスイコウモリや、少なくともヒトの場合は遺伝的な制御以外に生後発達過程での環境からの影響（ヒトの場合は教育、文化、宗教等、発達過程での影響。第4章参照）に依存する部分が多いといえそうである。

二〇万年ほど前にホモ・サピエンスが地球上に現れて以降、利他的行動はヒトの生存に必要な集団、すなわち家族・集団・社会の維持のために有利に働いたと推測できる。言い換えると、利他的行動をとる個体がいる集団の方が環境適応において有利であり、結果として多く生き残り、繁栄したと考えられる。もちろん、生き残るための仲よしグループをつくるということは、同時にグループ間の抗争のはじまりであり、繰り返される抗争を生き残るなかでは利己的行動、すなわち自らが所属するグループを優先に考える行動が不可欠だっただろう。利他的行動と利己的行動は両極端に見えて、実は生存のための車の両輪のような関係なのかもしれない。

二　異種間の関係

ここから先は、わたしたちの目には見えない関係についての話題、すなわちヒトが意識できない世界の話題である。今までは個体を行動の単位として見ていたが、ここからは視点を体内の組織の中での細胞社会の内部へと移してみたい。

科学の進歩によって、ヒトは目に見えない世界があることを知っている。人体は何十兆個という多くの種類の細胞によって構成されている。多くの種類の細胞がそれぞれ異なる役割をもちながら、競合的に、かつ協調的に生命活動を営むことで組織の新陳代謝を維持している。生物の体は細胞を単位とした一つの社会と考えることができる。その社会の中でも種の異なる生物の細胞間での利他的行動のようなふるまいを見つけることができる。

異種生物間での相互依存関係

アブラムシ(油虫)における細胞同士の協調関係を紹介しよう。アブラムシは、カメムシ目のアブラムシ上科(Aphidoidea)に属する昆虫の総称である。植物の上でほとんど移動せず、集団で維管束に口針を刺して師管液を吸って生活する小型の昆虫である。アリと共生し、分泌物を与えるかわりに天敵から守ってもらう習性がよく知られているが、ここで取り上げるのはアブラムシとアリとの共生ではない。体内にいるブフネラという大腸菌近縁の細菌との共生である。ブフネラは、師管液から摂取される糖質から、アブラムシにとって必要なアミノ酸を合成している(石川 二〇〇〇)。

アブラムシは自らの体内にブフネラの生育のために特化した細胞を発達させ、それらをブフネラに提供している。アブラムシの親から子が生まれる場合にも、ブフネラは母体内での胚形成時に胚の内部に侵入し次世代へ受け継がれる。ブフネラはアブラムシの体内環境に適応する過程で多くの遺伝子を失っているため、アブラムシの体外での単独での生存は不可能である。アブラムシもブフネラなしでは必須アミノ酸が合成できない。ブフネラとアブラムシの間では、互いに相手が合成できない物質を供給し合う、いわば相互依存の協調関係が成立している。まさに互恵的利他的関係、それがさらに進んで共生関係といえるだろう。

異種生物間の相互依存関係からはじまった真核細胞

さらに視点を細胞内部に移してみよう。直径一〇マイクロメートル（一〇〇分の一ミリメートル）ほどの真核細胞の中には細胞内小器官と呼ばれる小器官が存在する。核、ミトコンドリア、小胞体、中心体、ゴルジ体、葉緑体等々、それぞれの小器官が異なる機能をもち細胞の生命活動を支えている。一九七〇年、リン・マーギュリスはこれら細胞内小器官の起源についての仮説として細胞内共生説を提唱した（マーギュリス　一九九八）。真核細胞がまだ存在しなかった頃、繁栄していた様々な機能をもった原核生物同士が、互いに共生することで、より環境適応に優れた真核細胞が誕生したという説である。この説では、細胞内小器官のうち酸素を使いエネルギーを生産する細菌が、細胞内共生をしてミトコンドリアの起源となったこと、光合成をすることができる藍藻（藍藻は原核生物）が細胞内共生をして葉緑体の起源になったことが主張されている。

実際に、葉緑体やミトコンドリアは他の細胞器官と異なり、それぞれが分裂によって半自律的に増殖し、しかも独自の環状のＤＮＡ（デオキシリボ核酸）をもつ。葉緑体のＤＮＡを元にタンパク質合成をするための場所を構築するリボソームＲＮＡ（リボ核酸）や、タンパク質合成のためのアミノ酸をリボソーム上に輸送する転移ＲＮＡも葉緑体内部に独自にもつ。さらに、塩基配列の比較により、リボソームＲＮＡや転移ＲＮＡの配列が細胞核内のＤＮＡの配列と異なり、細菌（真正細菌）のそれに近いことも知られるようになったため、これが本来は独自の生物であると考えられるようになった。細胞内共生説は、生命の最小単位である細胞が、実は異なる機能をもつ異種の生物同士が複数集合したものであることを示している。それは一〇億年以上もの気の遠くなるほどの長い時間をかけて、はじめは協調関係をもち、やがて相互依存関係になることで成立したのだろう。

ヒトにとって不可欠な他の生物との相互依存関係

ブフネラとアブラムシの関係や細胞内小器官の起源の重要な点は、異なる種同士が協調関係にあることである。異種間の生物の共生は実は普遍的な現象であることを、ヒトと常在菌叢の関係を例に強調したい。常在菌叢とは人体に日常的に共生して棲息する細菌や真菌などである(太田 二〇一二)。常在菌は、人体が外界と接触している場所のあらゆる部分—皮膚、眼、鼻腔・口腔から肛門までの腸管、咽喉から肺までの気道、尿路、性器—に分布している。菌の数や種類は場所により異なっているが、細菌数はおよそ人体の全細胞数の一〇倍を上回るといわれている。もっている常在菌の種類はヒトによって多様である。常在菌は、本来の居場所に定着しているかぎり、また、そのヒトが健康で通常の免疫力を保っているかぎり病気を起こさない。むしろ常在菌が繁殖することで、外部からの病原性のある菌やウイルスの侵入に対する抵抗性がもたらされる。

たとえば腸管の場合、ヒトの腸管粘膜の表面積は四〇〇平方メートルという広大な面積を有するが、栄養の吸収と同時に免疫器官としての機能が注目されている。腸管には外部からの微生物の侵入に備え、一平方メートル当たり一〇〇〇個以上の抗体産生細胞が存在する。腸管上皮にあるリンパ節には、パネート細胞、腸管上皮細胞間リンパ球、インターロイキン産生細胞、免疫系制御性T細胞をはじめ多様な免疫細胞が分布している。これら免疫細胞群の分化や働きに、腸内常在菌の刺激が必要であり、免疫担当細胞の数や活動状態が、腸内常在菌叢の代謝産物に対応して変化していること、腸内常在菌叢の構成や菌数の乱れが腸疾患、肥満、癌などの発症や悪性化に関わっていることなどが、実験動物を用いた研究で明らかになっている。これらは、常在菌叢と免疫系は、相互に協調関係を保ちながら生体の恒常性を維持していることを示している。

もちろん、体調が悪くなると常在菌といえども感染症の原因になるので、人体と常在菌とは単純な互恵的関係ではなく拮抗した協調関係にあるといえる。ヒトは普段、自分だけで生活していると思っている。目に見えない細菌やカビたちに自分が守られ共生しているとは意識していない。しかし、実際には目には見えない他の生物との協調関係の中にヒトも含まれている。ヒトも自然の一部分なのである。

三　異種間の関係を無視したヒトの繁栄

科学の進歩によって、多くの生命活動の間には目で見えない協調関係が網の目のように存在することがわかってきている。ヒトはヒトがつくった世界、いわゆる社会の中で生活しているので、直接目に見えない他の生物種とヒトとの関係を意識することは少ない。それはヒトが地球に誕生して以降のヒトによる他の生物への影響を見ると明らかである。地球上の生命体の炭素量に関する包括的な推計が発表されている(Bar-On et al. 2018)。現在の地球上の生物の総量(バイオマス)の炭素総量は五五〇ギガトン(五五〇〇億トン)である。そのうち、最大なのは植物で、四五〇ギガトンと全体の八二%を占めている。次に多いのは細菌(バクテリア)で、七〇ギガトンと一三%を占め、動物のバイオマス量は全部あわせても二ギガトンと〇・四%に過ぎない。ヒトに至っては〇・〇六ギガトン(〇・〇一%)とさらに少ない。

動物のなかで最も多いのは一ギガトンの節足動物であり、動物全体の約半数を占めている。動物のなかで次に多いのが〇・七ギガトンの魚類で脊椎動物のなかでは他を凌駕している。脊椎動物のなかの鳥類・哺乳類については、何と家畜(主に牛と豚)が〇・一ギガトンと最も多く、〇・〇六ギガトンのヒトがこれに次ぐ。そして、ヒトと家畜が野生の鳥類や哺乳類(合計〇・〇〇九ギガトン)を大きく上回っている。この結果から、地球上の生物に対するヒトの影響を読み取ることができる。

一〇万年前から現在に至るまでに、推定で野生哺乳類は〇・〇四ギガトンから〇・〇〇七ギガトンへとおよそ六分の一にまで減少した。これに代わって、家禽類(主に鶏)は野生鳥類のすべての量の三倍に、ヒトと家畜は野生哺乳類のすべての量の一七倍と、大きく増加したと推定されている。ヒトの活動が地球上のバイオマスに与える影響の対象は、哺乳類に限らない。野生哺乳類が激減することによって生態系全体も影響を受ける。また樹木の総数や植物バイオマスの比較によると、全植物バイオマスがヒト文明の開始前の値に比べて現在では約二分の一に減少したことを示唆している。

ヒトは産業革命以降、農業、畜産業、漁業に関わる技術を飛躍的に向上させ食料増産量を爆発的に伸ばした(第7章参照)。世界の多くの場所で多様な生物種の個体数や生息環境を変えることには頓着せずに開発を進め、自然から資源を大量に回収し消費してきた。地球の総生産能力と比較した生態系に対する人類の需要で見ると、現在のヒトは地球が生産できる能力の七割増しの資源を消費している(Global Footprint Network 2019、第9章参照)。わたしたちヒトは、生命科学の進歩によって細胞内の新陳代謝、遺伝、発生、成長、老化のメカニズムを理解することに努め、それを医療に応用することに多大な関心と費用を費やしてきた。しかし、ヒトという種の地球上での営みが、地球という生命体の協調関係の上に成り立ったシステム全体に与える影響についてはそれほど関心が払われてこなかった。ヒトの利他性と利己性は、ヒト社会の繁栄に積極的に発揮され続けた。そして、おそらく、ヒトの繁栄の結果によって地球の気候は大きく変動しつつある。

四　今、必要とされる利他的行動とは

わたしたちは、科学によって生命活動を制御するメカニズムを理解しつつあり、相互協調的な関係の重要

性を知っている。その知見から、この地球上のすべての生物は、異種間、同種間を問わず、拮抗した網の目のような協調関係の上に成り立っていることがわかりつつある。

人体においても特定の細胞が多すぎたり少なすぎたりすると、全体の機能が損なわれることをよく理解している。特定の細胞がわたしたちの体内で異常に増加する疾患を癌と呼ぶ。脳内の神経細胞が死滅し、脳機能が全般的に損なわれることを認知症と呼ぶ。今、必要とされる利他的行動とは何だろうか。それは、ヒトの互恵的な利他的行動の対象を、ヒト社会だけでなく、地球環境・生態系全体へと拡大することではないだろうか。

ヒトは知覚できるものを現実と認識する傾向が強いが、科学の進歩によって、目に見える世界は実はほんの一部にすぎないことがわかっている。ヒトも自然の一部分であり、互恵的な行動をヒトの繁栄のみならず、ヒトを含めた持続可能な地球環境の維持のために発揮する必要があることを、科学者は多くの人に伝えるべきである。地球の生態系の持続を目指した互恵的利他的行動を採るなかでは、経済活動や人口の抑制といった、ヒトにとって不都合な選択に直面することになる。その試練に耐えながらも地球全体を考慮に入れた行動をとることができるかどうか、それがヒト社会の未来を決定する分岐点になるだろう。

まとめ

- ヒトの利他的行動も、社会性昆虫やナミチスイコウモリ等の他の生物が示す利他的行動の延長線上にあると解釈できる。
- 生命現象は単一分子、単一細胞、単一個体では成り立たない。多数の分子、細胞、個体間の相互作用や協調関係の結果成立する。

- ヒトの互恵的な利他的行動の対象を、ヒト社会内だけでなく、地球環境・生態系全体へと拡大することがヒト社会の持続につながる。

参考文献

石川統（二〇〇〇）「第10章　共生微生物」石川統編『アブラムシの生物学』東京大学出版会、二〇八—二二九頁

太田敏子（二〇一二）「目に見えないヒト常在菌叢のネットワークをのぞく」『宇宙航空環境医学』第四九巻第三号、三七—五一頁

佐々木正己（一九九三）「6　ミツバチの社会システムとその制御機構」松本忠夫・東正剛編『社会性昆虫の進化生態学』海游社、二〇六—二四五頁

マーギュリス、リン&セーガン、ドリオン（一九九八）『生命とはなにか——バクテリアから惑星まで』池田信夫訳、せりか書房

Bar-On, Y. M., Phillips, R. and Milo, R. (2018) "The biomass distribution on Earth", *Proc Natl Acad Sci U.S.A.*, 115(25), 6506–6511

Carter, G. G. and Wilkinson, G. S. (2015) "Social benefits of non-kin food sharing by female vampire bats", *Proc Biol Sci*, 282(1819), 2015–2524

Global Footprint Network (2019) "National Footprint and Biocapacity Accounts, 2019 Edition"
https://www.footprintnetwork.org/licenses/public-data-package-free/

第6章 科学的な心理学から「共感」を考える

——サイバーいじめは予防できるか

武藤 崇

日本では二〇二〇年二月以降、新型コロナウイルスの感染が拡大していった。そして、このウイルスの感染予防のために、政府から国民に対して不要不急の外出自粛が要請される事態となった。この外出自粛時に、社会的なつながりの維持に大きな役割を果たしたものの一つにソーシャル・ネットワーキング・サービス(SNS)がある。その一方で、SNSのネガティブな側面も顕在化することとなった。たとえば、新型コロナウイルスに感染した人たちや、その所属集団・地域に対して誹謗・中傷する(事実にまったく依拠しないものも含む)、外出自粛や感染予防を匿名で他者に過剰に要請する(「自粛警察」と呼ばれる)といった「サイバーいじめ(ネットいじめ)」(cyber-bullying)という現象である。しかも、このようなSNS上の現象は、日本国内にとどまらず、世界中で生じているといわれている。たとえばアメリカの人工知能を開発する企業(L1ght, オンラインがもつ毒性(toxicity)から子どもたちを守ることを目的とする)の調査によれば、今回のパンデミック(感染爆発)期における、児童・生徒による、オンラインやチャット上でのヘイトスピーチ数は七〇%、アジア人に対するヘイトサイトや特定の書き込みへのアクセスは二〇〇%、中国や中国人に対するツイッター上のヘイトスピーチ数は九〇〇%増加した(L1ght 2020)。

「このようないじめが起きるのは、個人や社会において共感性が弱まってきているからだ」と考える人が多いのではないだろうか。実際に、心理学でも、このような「サイバーいじめ」は他者に対する共感性の低さによって生じる、という仮説のもと一〇年以上も前から研究が続けられている(たとえば大貫・鈴木 二〇〇七)。また、同様の「サイバーいじめ」の研究は、二〇一五年からの五年間に限定した場合でも六四件ある(データベースOvid®を用い、論文抄録の中に“cyber-bullying”かつ“empathy”が含まれている論文のみを抽出した結果)。そこで、本章では「サイバーいじめ」を題材に、良心の近接概念である「共感」について、科学的な心理学から検討を加えることとしたい。

一　実証的な心理学からみた共感——共感の二つの側面

「情動／認知的」という新たな視座

日本語の「共感」あるいは英語の“empathy”という語は、ある特定の感情喚起を指し示す。しかし、科学的な心理学における「共感」は、単なる感情の喚起としてとらえられてはいない。現在「共感」は、大別して次の二つの側面からとらえるのが一般的である。「情動的共感」(emotional empathy)と「認知的共感」(cognitive empathy)である(Perry & Shamay-Tsoory 2013)。

情動的共感は、他者の情動を自らの身体反応を伴って理解すること、認知的共感は他者の思考や意図を推論すること、とされている。さらに、情動的共感の下位には、共感的関心(empathic concern, 同情などの他者指向的な情動の喚起されやすさ)や個人的な苦痛(personal distress, 他者の苦痛の観察による自分に生起する不安や恐怖へのとらわれやすさ)があるとされる。一方、認知的共感の下位には、視点取得(perspective taking, 他者の視点に立って、その他者の気持ちを考えることができる程度)やファンタジー(fantasy scale, 物語などのフィクションの登場人物に自分を置き換えて想像できる程度)があるとされる(Davis 1980)。このような共感の定義からいえば、日常的な意味での共感は、主に共感的関心に相当することになるだろう。

情動的共感の弱点――「自分の視野を狭く」させる

情動的共感には視野を狭くさせるという弱点があることを示唆する実験がある(Batson et al. 1995)。

実験ではまず、研究参加者たちに、不治の病に冒されている子どもが終末期を快適に過ごせるように支援する事業を行う慈善団体の話を聞かせる。次に、その団体の支援を受けるための「順番待ち」リストに名を連ねている子どものインタビューが行われると予告し、参加者を二群に分けた。そして一方の群(低共感群)には「インタビューは、客観的な視点から聞いてください。インタビューを受けている子どもが、どのように感じているかにはとらわれずに、客観的で、公平な立場を貫いてください」と指示した。もう一方の群(高共感群)には「インタビューを受けている子どもが、自分の身に起こった出来事についてどのように感じているか、そしてそれがその子どもの生活にどのような影響をおよぼしているかを想像しながら、話を聞くようにしてください。その子どもが、どのような困難に耐えているのか、そしてその結果どのように感じているのかについて、ご自分でもありありと感じ取れるようにしてください」と指示した。

そして、インタビューは、非常に聡明な一〇歳の少女に対して行われた。それは、まず、彼女の末期症状についての詳細な説明がなされた後、彼女自身が、いかにその団体の支援を受けたいかを語ったものであった。インタビュー終了後、参加者たちは、その少女を「順番待ち」リストの上位に割り込みをさせるための例外的な申請を出すかどうかについて尋ねられた。ただし、この申請が認められれば、現時点で上位にいる他の子どもたちが、その分、長く待たされることになることについて念押しされていた。

その結果、低共感群でその少女を上位に割り込ませようとしたのは三分の一だったが、高共感群では、参加者の四分の三が割り込みを許可するような申請をしたのだった。つまり、情動的共感を喚起させられた群では、理性的な判断が阻害される（視野を狭くさせる）結果となった。

認知的共感の弱点――「その認知を悪用」できる

一方、認知的共感の高さが悪用されてしまう可能性があることを示す実験がある（溝川・子安 二〇一五）。研究参加者は、まず他者の情動理解および共感性の程度をみることを目的とした質問に回答するよう求められた。次に、嫌な人の不利益状況に関する仮想場面（二場面）での判断課題が提示され、各場面において介入の有無の判断（二択）とその理由づけ（三択）が質問された。

場面1では、汚れのついたベンチに知らずに座ろうとしている憎い先輩に、汚れがあることを教えるか（介入）、教えないか（非介入）の判断を求められる。次に理由づけの選択肢から一つを選択するように求められた。場面2では、憎い先輩のクレジットカードの落とし物を見つけた際に、その先輩に届けるか（介入）、そのまま放置しておくか（非介入）の判断を求められ、次に、その理由づけを選択するよう求められた。

いずれの場面でも「介入」の理由づけの選択肢は、「規範の内面化（一般的に正しいことだから）」「快楽・報酬志向（人間関係をよくするから）」「要求・感情志向（かわいそうだから）」の三つであった。一方の「非介入」の理由づけの選択肢は、「非当事者意識（自分には無関係なことだから）」「対人志向（その場の雰囲気を壊したくないから）」「要求・感情志向（困っているのはいい気味だから）」の三つであった。

結果は、次のようなものであった。嫌な人の不利益状況の二つの場面において、介入・非介入群の間で他者理解と共感性に違いがあるかを検討したところ、両場面ともに、介入群の方が非介入群よりも共感的関心の得点が高かった。さらに、各場面の介入・非介入判断の理由づけによって他者理解・共感性に差があるかを検討したところ、場面1では「快楽・報酬志向」による介入選択者は、「要求・感情志向」による介入選択者よりも共感的関心の得点が低いことが示された。また、場面2では、「要求・感情志向」による非介入選択者は、他の理由による非介入選択者よりも、他者の情動の理解の得点が高かった。つまり、共感的関心の高さは、嫌な人の不利益場面で助けるかどうかを判断するうえで重要な役割を果たすことが明らかになった。さらに、認知的共感は高い(他者の情動が理解できる)が、その一方で共感的関心の低い人は、その認知的な能力を悪用している可能性も示唆された。

以上により、共感性の二つの側面は、場面によってはそれぞれ異なる弱点を露呈する、ということが示された。そのため、共感性を有効に機能させるには、その水準を高めるだけではなく、そのバランスについても留意すべきであることが考えられる。

二　共感性の高低はサイバーいじめにどう関係するか

現時点では、日本において、共感性とサイバーいじめとの関連が「実証的(定量的なデータに基づいて)」に研究されてはいない。それどころか、サイバーいじめ自体についてでさえ同様の状況にあるといってよいだろう(加納 二〇一六)。そこで、海外で実施された実証的な研究の動向を概観するとともに、近年の研究例を紹介する。

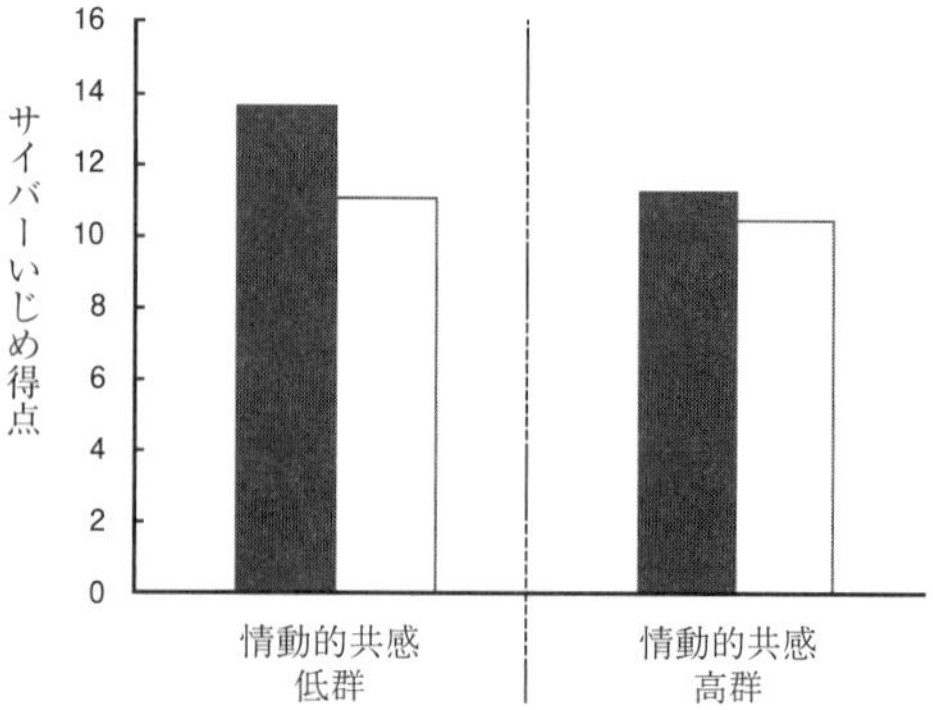

サイバーいじめ得点
16
14
12
10
8
6
4
2
0
情動的共感低群
情動的共感高群

図6-1　ネットいじめと情動的共感との関係に対する「攻撃に関する規範的信念」の調整効果．■は攻撃に関する規範的信念高群，□は攻撃に関する規範的信念低群．Ang et al. 2017 のデータにより筆者作図．

共感性の高低とサイバーいじめとの間には関係がある

サイバーいじめの実証的な研究では、当該のいじめを二つの構成要素でとらえることが多い。サイバー加害(cyber-perpetration)とサイバー被害(cyber-victimization)である。

ザックらは、それまでに公刊されたうちから実証的な研究を二五件抽出し、共感性の高低とサイバー加害／被害の関係性について、二五件すべてのデータを統合して分析した(「メタ分析」と呼ぶ)(Zych et al. 2019)。その結果、サイバー加害は、共感性全体(情動的共感と認知的共感を統合した場合)の低さ、情動的共感の低さ、そして認知的共感の低さと相関があることが示された。一方、サイバー被害は、共感性全体、認知的共感の高低とは相関がみられなかったが、情動的共感の高さとの相関が示唆された。つまり、サイバーいじめの加害者は、共感性が低く、被害者は情動的共感性が高い傾向にあることが示されたのである。ただし、この結果だけから「共感性が低いためにサイバーいじめをする」「情動的共感性が高いためにサイバーいじめを受ける」とはいえないことに注意されたい。

共感性の高低とサイバーいじめとの関係に影響を与える他の要因

攻撃に関する規範的信念(normative beliefs about aggression，どの程度、他者への攻撃を容認するかに関する個人的な信念)を強くもっていると、ネット上で、他者を匿名で攻撃しやすいことが示されている(Wright 2014)。そこで、アンらは共感性の高低とサイバーいじめとの関係に、攻撃に関する規範的信念が影響を与えるか否かを検討した(Ang et al. 2017)。その結果、情動的共感が低い人が、攻撃に関する規範的信念を強くもっている場合、サイバーいじめ(加害)をしやすいことが示された(図6‒1)。

三　共感性の促進によってサイバーいじめは改善・予防できるのか

ここまでに、共感性とサイバーいじめとの間に相関が認められることを述べたが、共感性の促進によってサイバーいじめを改善させ(つまり、いじめが減少する)、そして予防することができるのだろうか。まずは、サイバーいじめに対する改善・予防プログラムにはどのようなものがあり、全体としてどの程度効果があるのか、という点から見ていこう。

サイバーいじめに対する改善・予防プログラムは効果がある

ガフニーらは、サイバーいじめに対する改善・予防プログラムの効果について検討するために、二〇〇〇～二〇一七年に公刊された約四〇〇〇件の研究のなかから実証性の高い二四件の研究を対象に系統的な展望とメタ分析を行った。その結果は、サイバーいじめに対する改善・予防プログラムは全体として、サイバー加害者数を約一〇～一五%低減させ、サイバー被害者数を約一四%減少させた、というものであった。ただし、プログラムの効果にはプログラムによってばらつきが大きく、そのプログラムの構成要素を慎重に吟味する必要性が指摘されている(Gaffney et al. 2019)。

共感性の促進が改善・予防プログラムの主要な構成要素

ハストンらは、二〇一一〜二〇一六年に公刊されたサイバーいじめの改善・予防プログラムに関する研究のなかから実証性の高い研究を二三件抽出し、サイバーいじめの改善・予防プログラム研究の構成要素に関する検討を行った。二三件の研究のうち、オリジナルなプログラムは一七あり、そのうち共感性の促進を構成要素としているものは九(約五三%)あった。一方、共感性の促進と同等、あるいはそれ以上に使用されていた構成要素は、オンライン上での責任やエチケットの教育(全プログラムにおける使用頻度の割合は約七六%)、サイバーいじめに対する知識や自覚に対する教育(同様に約七〇%)、サイバーいじめに対する対処スキルのトレーニング(同様に約七〇%)、コミュニケーションのトレーニング(同様に約五三%)であった。

以上から、サイバーいじめの改善・予防プログラムのなかで、共感性の促進は、最重要ではないものの主要な構成要素であることが示唆された(Huston et al. 2018)。

共感性の促進プログラムでは必ず認知的共感がトレーニングされている

ヴァン・ベルクハウトとマルーフは、一九七〇〜二〇一四年に公刊された共感性の促進プログラム研究のなかから実証性の高い研究を一九件抽出してメタ分析を行い、共感性の促進プログラム研究の有効性に関する検討を行った。その結果、プログラムの有効性は中程度であることが示された。また、認知的共感に対するトレーニングはすべてのプログラムに含まれていた。

一方、情動的共感に対するトレーニングを含んだものは全体の約五八%にとどまった。さらに、情動的共感に対するトレーニングを含んだ場合と含まなかった場合とでは、統計的な有意差がみられなかった(van

Berkhout & Malouff 2016)。

まとめ

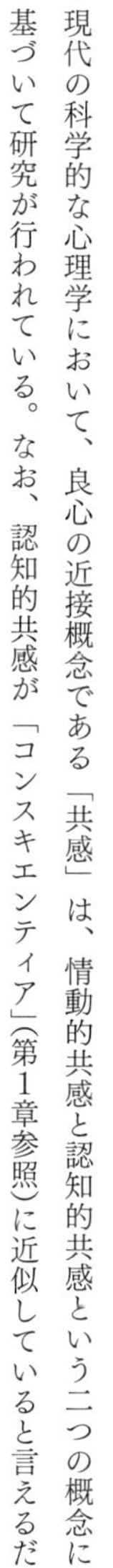

- 現代の科学的な心理学において、良心の近接概念である「共感」は、情動的共感と認知的共感という二つの概念に基づいて研究が行われている。なお、認知的共感が「コンスキエンティア」(第1章参照)に近似していると言えるだろう。
- その研究知見から、サイバーいじめを改善・予防するためには、情動的共感と認知的共感の両方をバランスよく育む必要があることが示された。
- しかし、現時点では、情動的共感そのものを何らかの心理学的トレーニングによって促進可能であるかについては明確になっていない。そのため、最新の心理学のエビデンスに基づいて「相手が嫌がることを理解している(認知的共感が十分に高い)にもかかわらず、それを悪用してサイバーいじめ(加害)をする」ことを抑制・予防するまでには至っていない。

参考文献

梅田聡(二〇一四)『岩波講座　コミュニケーションの認知科学2　共感』岩波書店

大貫和則・鈴木佳苗(二〇〇七)「高校生のケータイメール利用時に重視される社会的スキル」『日本教育工学会論文誌』第三一巻、一八九―一九二頁

加納寛子(二〇一六)『ネットいじめの構造と対処・予防』金子書房

溝川藍・子安増生（二〇一五）「青年期・成人期における他者理解と共感性——道徳判断との関連」『日本心理学会第七九回大会（名古屋国際会議場）』

Ang, R. P., Li, X., & Seah, S. L. (2017) "The role of normative beliefs about aggression in the relationship between empathy and cyberbullying", *Journal of Cross-Cultural Psychology*, 48, 1138–1152

Batson, C. D., Klein, T. R., Highberger, L., & Shaw, L. L. (1995) "Immorality from empathy-induced altruism: When compassion and justice conflict", *Journal of Personality and Social Psychology*, 68, 1042–1054

van Berkhout, E. T., & Malouff, J. M. (2016) "The efficacy of empathy training: A meta-analysis of randomized controlled trials", *Journal of Counseling Psychology*, 63, 32–41

Davis, M. H. (1980) "A multidimensional approach to individual difference in empathy", *JSAS Catalog of Selected Documents in Psychology*, 10, 85–103

Gaffney, H., Farrington, D. P., Espelage, D. L, & Ttofi, M. M. (2019) "Are cyberbullying intervention and prevention programs effective? A systematic and meta-analytic review", *Aggression and Violent Behavior*, 45, 134–153

Hutson, E., Kelly, S., & Militello, L. K. (2018) "Systematic review of cyberbullying interventions for youth and parents with implications for evidence-based practice", *Worldviews on Evidence-Based Nursing*, 15, 72–79

L1ght (2020) "Rising levels of hate speech and online toxicity during this time of crisis"
https://l1ght.com/Toxicity_during_coronavirus_Report-L1ght.pdf

Perry, A., & Shamay-Tsoory, S. (2013) "Understanding emotional and cognitive empathy: A neuropsychological perspective". In S. Baron-Cohen, H. Tager-Flusberg, & M. V. Lombardo Eds., "*Understanding Other Minds: Perspectives from Developmental Social Neuroscience*", 3rd ed., 178–194, Oxford University Press

Wright, M. F. (2014) "Predictors of anonymous cyber aggression: The role of adolescents' beliefs about anonymity, aggression, and the permanency of digital content", *Cyberpsychology, Behavior, and Social Networking*, 17, 431–438

Zych, I., Baldry, A. C., Farrington, D. P., & Llorent, V. (2019) "Are children involved in cyberbullying low on empathy? A systematic review and meta-analysis of research on empathy versus different cyberbullying roles", *Aggression and Violent Behavior*, 45, 83–97

III 変わりつつある自然・人工物と人間

第7章　地球観を育む科学

林田　明

科学革命と産業革命を通じて互いに強く結びついた科学と技術は、二〇世紀の二度の世界大戦を通じて発展し、社会の中に巨大な位置を占めるようになった。それに伴って伝統的な自然観が変貌し、さらに軍事利用や環境問題、一般市民との乖離など、科学技術の負の側面が顕著になっている。このような状況に対し、一九九九年の「世界科学会議」で発表された「科学と科学的知識の利用に関する世界宣言」(ブダペスト宣言)では、二一世紀以降の科学の姿として「知識のための科学――進歩のための知識」という伝統的な理念に加え「平和のための科学」「開発のための科学」「社会における、社会のための科学」といった社会的な意義が強調された。地球科学関連の分野においても、天然資源の保全や自然災害への対応、地球環境問題などに関して、学術的な研究と社会との結びつきがますます強固になっている。

とくに地球規模の課題に対応するためには、個人や特定の社会、国家間の利害を超えた取り組みが必要であり、様々な場面で「良心」の役割に期待がかかる。西洋概念としての「良心」の原義は「共に知る」ことであり、内なる他者(自己)と共に知る個人的良心、外部の他者(第三者)と共に知る社会的良心、神(超越的他者)と共に知る信仰的良心が存在する(小原 二〇一八、三―五頁)。個人の尊厳や他者との共感を基本とする健全な社会を築くために、個人的良心や社会的良心が求められることはいうまでもない。さらに、自己と他者、社会が存在する世界の姿を共有することも重要であり、これには信仰的良心が大きな役割を担ってきた。現代の複雑な問題に関しても宗教の役割は大切であるが、世俗化した社会においては、地球の歴史や人間の環境について共通の科学的理解が基本となる。

　わたしたちが生きている世界はどのようなものなのか、それを描写したものとして、様々な時代、様々な地域に固有の自然観や地球観が存在した。本章では、科学技術の発展と自然観の変遷を振り返り、災害と地球環境のリスクに対して「共に知る」べき地球観について考えてみたい。

一　自然観の変遷

科学革命から産業革命へ

どのような生物も与えられた環境のなかで生きる術を身につけているといえる。人類はその術を家族や仲間と共有し、環境の変化に対応してきた。それが人間の集団としての行動の指針となり、世代を超えて継承されたことにより、古代文明の宇宙観や神話的な自然観が誕生した。古代ギリシアの自然哲学者の思索も、それらが高度に発展したものと見なすことができよう。こうした素朴で多様な自然観に対し、一七～一八世紀の科学革命の時代には実証的な手法で地球や太陽系の姿が描き出された。

　科学革命によって、観測や実験に基づいて普遍的な法則を見出し、普遍的な知識の体系を構築するという近代科学の形が確立した。この変革を担った人物として、ガリレオ・ガリレイ（一五六四～一六四二）やヨハネス・ケプラー（一五七一～一六三〇）、アイザック・ニュートン（一六四二～一七二七）などがあげられるが、彼らの行為は自然神学の徒として自然界を創造した神の意図を読み解こうとするものであった。また、フランシス・ベーコン(一五六一〜一六二六)は、神の贈与によって自然に対する支配権が人類のものとなっているという考えを示し、科学や技術を人間の普遍的な利益のために用いることを正当化しようとした。

人間と神、あるいは人間と自然との関係が大きく変化したのは、一八世紀にイギリスを中心に進行した産業革命の時代である。科学革命の延長として科学的知識の通俗化が進んだことを背景に、紡績機や織機、蒸気機関の発明や改良に象徴される技術革新が起こり、産業構造や経済社会に大きな変化がもたらされた。この動きは製鉄産業など大量のエネルギー資源を消費する分野にも広がり、一九世紀から二〇世紀初頭にかけて他の欧米諸国や日本に波及していった。

天変地異説と斉一説

産業革命の時代には、天変地異説(catastrophism)に代わって斉一説(uniformitarianism)が広まるという自然観の大きな転換が起こった。自然神学の一部として行われていた地球の誕生や地殻の構造に関する議論には、人智のおよばない作用によって世界が創られたとする天変地異説(激変論)が基本的なパラダイムとして存在した。その例として、一七世紀にアイルランドの司教ジェームズ・アッシャー(一五八一〜一六五六)が旧約聖書の創世記の記述をもとに、天地創造は紀元前四〇〇四年一〇月二二日の夕刻に行われたと唱えたことが有名であるが、同時代のケプラーやニュートンも太陽系の惑星の運行を参照しながら神によって世界が創られた年代を推定している。一八世紀末のドイツの鉱山学者アブラハム・ヴェルナー(一七四九〜一八一七)は、地殻を構成する岩石はすべて原始の海水からの沈殿によって形成されたとする水成論を唱えたが、これもまた、天地創造が短時間に成し遂げられたことを説明するために主張されたものである。これらは世界のはじまりに関する考えであるが、たとえば一六世紀に登場したノストラダムスの終末論(村上 二〇〇〇)は、天変地異説を背景に世界の終わりを想像したものといえるかもしれない。

産業革命の時代に活発になった綿密な自然観察や実証的な地質学の研究は、天変地異説に対する疑義を生み出した。まず一八世紀末にスコットランドのジェームズ・ハットン(一七二六〜九七)が、旧約聖書に述べられた天地創造の痕跡や終末の予兆は見いだせないことを指摘し、地球の姿は現在観察されるような過程の積み重ねによって創られてきたとする斉一説を提唱した。一九世紀になるとチャールズ・ライエル(一七九七〜一八七五)がハットンの主張を近代地質学の基本原理にすえ、ニュートンの『プリンキピア』を連想させる野心的なタイトルの“Principles of Geology”(『地質学原理』)という書物を著した。この書の趣旨は「現在は過去の鍵である」という言葉に要約され、世界の成り立ちに神の摂理が働いていないことを主張したものである。この考えはヴィクトリア朝イギリスの社会や文化に大きな衝撃を与え、たとえばチャールズ・ダーウィンが生物進化を論じるきっかけにもなった(第５章参照)。ダーウィンの時代、地球の年齢は数千万から数億年程度と見積もられていたが、一九五〇年以降の放射性核種を用いた研究により、地球を含む太陽系が約四六億年前に形成されたことが明らかにされている。

二　現代の地球観

地球の歴史と天変地異

第二次世界大戦の終了後、他の自然科学や工学の諸領域と同様に、地球科学の分野でも飛躍的な発展があった。とくにこれまで未知の領域であった深海底や宇宙空間の探査で得られた知見をもとに、太陽系の成因論やプレート・テクトニクスに代表される新しい地球観が誕生した。もちろん、こうした研究は斉一説を基本原理として行われ、現在の地球に見られる現象を過去に適用し、他の惑星と比較することによって多くの成果が生み出された。しかし、これは地球に天変地異的な現象が起こらないことを意味するのではなく、むしろ地球の生命や環境に急激な変化が起こった時代があったことが明らかになっている(丸山・磯崎 一九九八)。

たとえば、約六億五〇〇〇万年前には極域から低緯度地域までが氷床や海氷で覆われて地球が全球凍結(スノーボール・アース)の状態になり、これが原生生物の大量絶滅と古生代初期の生物の飛躍的発展(カンブリア爆発)につながった可能性が指摘されている。古生代の末(約二億五二〇〇万年前)には属レベルで八〇%以上の多様性が失われるという大量絶滅が起こり、また中生代の末(約六六〇〇万年前)には巨大隕石の衝突によって恐竜を含む多くの生物が絶滅したことが知られている。これらの事件は、現在の地球で起こっている現象を眺めていても想定できないものであり、現在が過去の「鍵」になるとは限らないことを示している。

忘れた頃にやってくる災害

二〇一一年三月一一日に発生した東北地方太平洋沖地震も、多くの人に天変地異を想起させる出来事となった。この地震は強い揺れと巨大な津波によって岩手県、宮城県、福島県を中心に大きな被害をもたらしただけでなく、東京電力福島第一原子力発電所の事故を引き起こし、その被害や影響は今なお深刻な状況にある。東北沖の日本海溝付近では数十年から一〇〇年程度の間隔でマグニチュード六や七程度の地震が繰り返され、ときにはマグニチュード八クラスの巨大地震が発生することが広く知られていた。昭和三陸地震(一九三三年)の津波によって明治三陸沖地震(一八九六年)と同様の甚大な被害が繰り返されたことを知った寺田寅彦は、度々繰り返される自然現象による災害を未然に防ぐことができないことを嘆き、このことを「人間界の人間的自然現象であるように見える」と述べている(寺田 一九三三)。こうした教訓から、三陸海岸には津波の侵入を防ぐための堤防や災害時の避難経路が設けられるなど、地震への備えがなされていた。しかし、二〇一一年には過去に観測されたことのない広い震源域で破壊が進行してマグニチュード九の超巨大地震となり、またしても大きな災害が引き起こされた。

地震災害に限らず、集中豪雨や異常高温などに関しても「これまでに経験したことのない」という表現がよく使われる。実際に地震の規模と頻度の関係として、小さな地震は大きな地震よりも数多く発生し、マグニチュードが一小さくなるとその発生数はおよそ一〇倍になるという経験則が知られている。同様の関係は火山噴火の等級と噴火回数、地すべりの崩壊土量と崩壊箇所の数、火災の延焼面積と火災数などにも見られ、いずれの場合も小さな破壊現象は頻繁に起こるが、それが大規模な領域に拡大するのは稀であることを示している。このことを教訓的に表すのが、「天災は忘れた頃にやってくる」という言葉である(池内 二〇二〇、一三四頁)。

日本海溝の巨大地震に関しては、歴史時代に大規模な津波が東北地方を襲ったことが一九九〇年代から知られていた。代表的なものは平安時代の貞観一一年(西暦八六九年)に陸奥国に大きな被害を与えた貞観地震と津波であり、古文書の記録や海岸平野の堆積物の調査によってその実態の解明が進められていた。この発見に基づき、原子力発電所の立地についての警告も発せられていたが、残念ながらその警告を十分に生かす対応がとられることはなかった(添田 二〇一四)。

前述のように「現在は過去の鍵である」というものの、人の一生、あるいは人間が近代的な観測をはじめてからの期間だけをとらえるなら、わたしたちが手にする「鍵」はきわめて不完全なものでしかない。過去の歴史を学ぶことにより現在の地球を理解するとともに、わたしたちの知識が限られたものであることを認識し、未来を考えるための「鍵」を有効なものにする必要がある。

三　地球環境問題とは何か

人間活動による自然の擾乱

地震や台風は自然現象として生じるものであり、すべてが災害につながるわけではない。自然界の出来事が災害となるのはその影響が人間の対処能力を超えたときであり、その条件は人間の生活している場所や社会の状況によって異なる。人間が都市を築いたことや自然の地形を大規模に改変したことが災害につながるのは、近年の地震や水害の例を見れば明らかであろう。

地球環境問題もまた、人間の活動による地球表層の環境の改変が原因となって人間の生活や生存が脅かされるという現象である。一九九三年に制定された環境基本法は「人の活動により環境に加えられる影響であって、環境の保全上の支障の原因となるおそれのあるもの」を「環境への負荷」と呼び、これを「公害」と「地球環境保全」の二つに区分している。「公害」についての記述は前身の公害対策基本法(一九六七年施行)を継承したものである(第9章参照)。これに対し、新しくつけ加えられた「地球環境保全」の説明からは、地球環境問題が「地球の全体又はその広範な部分」に影響をおよぼす現象であることと、特定の事業活動(たとえば水俣病を引き起こした新日本窒素肥料水俣工場からのメチル水銀の排出)よりも人類全般の生活様式や経済活動(都市の拡大やエネルギーの大量消費など)が原因となることが読み取れる。

法律に示されているこれらの点以外に、地球環境問題にはその解決を困難にする重要な特質がある。それは、人間の活動が直接人間に害をおよぼすのではなく、自然環境を制御している地球システムに対して人間活動が擾乱を与え、その影響が人間を脅かすという点である。たとえば化石燃料の消費によって排出される二酸化炭素は人の健康に有害な物質とはいえないが、その大気中の濃度が高まれば大気と地表との間のエネルギーのバランスを変化させ、地球温暖化を引き起こす。温室効果ガスの放出以外に、熱帯雨林の破壊などの土地利用の改変も気候を変化させる要因となる。

地球の歴史のなかでは、人間以外にも大規模に地球環境を激変させた生物があった。約二七億年前に原核生物のシアノバクテリアが酸素発生型の光合成を行うようになり、二酸化炭素を主成分としていた地球大気が酸素に富むものに変化した。また、大気中の二酸化炭素が石灰岩のような炭酸塩や化石燃料を含む有機炭素として固定されるプロセスにも、多くの生物が関与してきた。このような環境の変化に応じて新しいタイプの生物が誕生したことを思えば、人間活動による自然の改変も生物と地球の共進化の一事例とみなせるかもしれない。もちろん、この変化にはヒトという種の絶滅のリスクが伴うことを忘れてはならない。

「人新世」の提唱

わたしたちホモ・サピエンスと同じホモ属に分類される最古の化石人類は、約二四〇万年前から一四〇万年前にかけて東アフリカに生息したホモ・ハビリスであり、数十万年前には、やはりアフリカでホモ・サピエンスが誕生した。地球の歴史を年表として示した地質年代表で、約二六〇万年前から現在までの時代は第四紀と呼ばれ、数万年周期で氷期と間氷期が繰り返されてきた。第四紀のうち約二六〇万〜一万一七〇〇年前を更新世と呼び、その中期(七七万四〇〇〇年前〜一二万九〇〇〇年前)を、千葉県市原市の地層を基底の模式断面としてチバニアンと名づけることが、二〇二〇年一月に承認された。一万一七〇〇年前にはじまった完新世は氷期–間氷期サイクルの最新の温暖期にあたり、気候の温暖化と海水準の上昇にともなってわたしたちに身近な地形や植生が成立した。農耕の開始や古代文明の誕生など、人間活動が活発に展開されるようになった時代である。

完新世の細分として、約八二〇〇年前と約四二〇〇年前の寒冷化イベントを境界として三つに区分することが二〇一八年に決定されたが、これとは別に、人間活動とその影響が顕著になった時代として「人新世」(anthropocene)という時代区分を設けることが検討されている。「人新世」という概念は、オゾン層の破壊に関する大気化学の研究でノーベル賞を受賞したパウル・クルッツェン(一九三三〜)が二〇〇〇年に提唱したもので、そのはじまりの時期として、産業革命のころ(たとえばジェームズ・ワットが蒸気機関を発明した西暦一七八四年)が候補にあげられた。その後、国際地質科学連合の国際層序委員会にワーキング・グループが設けられ、「人新世」の定義や模式断面の候補についての検討が進められている(Zalasiewicz et al. 2019)。

人間活動の拡大を表す指標として世界の人口、実質国内総生産の総計、水使用量、化学肥料の消費量などがあり、グローバルな生態系や大気環境に現れた影響として大気中の二酸化炭素、亜酸化窒素、メタンの濃度の増加、成層圏オゾンの減少、熱帯雨林の減少、漁業資源の枯渇などが取り上げられている。これらは科学技術の展開に伴う現象であり、いずれも二〇世紀の後半に急激な変化を示すことから、「人新世」のはじまりは一九五〇年ごろとされる可能性が高い。ただし、他の地質時代の主要な境界は、地球表層の環境がある状態から別の安定な状態に遷移した時期にあたっている。人間の活動によって地球に生じた新しい状態が今後、長く安定に存続するのか、定かではない。「人新世」は新しい時代の到来というよりも、変化のはじまりを意味するのかもしれない。

パンデミックの時代に

本章では災害のリスクや地球環境の変化を取り上げたが、最後に感染症と人間との関係について触れる。まず、感染症は様々な時代に地域や規模を変えて繰り返し発生しており、地震などによる自然災害と同じように「忘れた頃にやってくる」現象といえる。また、人間の生活様式や社会状況の変化によって自然災害の規模が拡大するのと同様に、感染症の発生や拡大についても、気候変動と生態系の変化、人間と動物との関係、さらに国際的な人の移動など、人間活動の拡大によってもたらされた人災の側面が強い（第14章参照）。

様々なウイルスや細菌によるパンデミック（感染爆発）が発生する可能性が高まったこの時代を生きるために、もちろん感染の予防やワクチンの開発は欠かせないが、ウイルスや細菌の生物学的位置づけや生命進化における役割を認識することも必要である。地球や生命の探究を通して、価値観や利害を異にする人間が他の生物とともに一つの惑星を共有しているという事実を「共に知る」ことが求められている。

まとめ

- 世俗化した社会にあって、個人の尊厳や他者との共感を実現する基盤として共通の地球観を育むことが重要である。とくに、価値観や利害を異にする人間が他の生物とともに一つの惑星を共有しているという事実を「共に知る」ことが望まれる。
- 地球の歴史は「現在は過去の鍵である」という斉一説を基に理解されるが、わたしたちが手にする「鍵」は不完全なものである。頻度が少なくても天変地異的な変動や災厄が地球に起こりうることを、過去の歴史に学ばなければならない。
- 科学技術の進展は人間の生活や社会システムを変容させただけでなく、自然災害や感染症の発生条件、地球環境に急速な変化を生み出している。地球の歴史のなかで現在が特異な時代であることが認識され、「人新世」という時代区分が提案されている。

参考文献

池内了(二〇二〇)『寺田寅彦と現代——等身大の科学をもとめて』みすず書房
小原克博(二〇一八)「良心学とは何か」同志社大学良心学研究センター編『良心学入門』岩波書店
村上陽一郎(二〇〇〇)「終末論の構造と預言」『ノストラダムスとルネサンス』岩波書店
添田孝史(二〇一四)『原発と大津波　警告を葬った人々』岩波新書
寺田寅彦(一九三三)「津浪と人間」『地震雑感/津浪と人間——寺田寅彦随筆選集』(二〇一一)所収、中公文庫
丸山茂徳・磯崎行雄(一九九八)『生命と地球の歴史』岩波新書
Zalasiewicz, J., Waters, C., Williams, M., Summerhayes, C. Eds. (2019) *The Anthropocene as a Geological Time Unit: A Guide to the Scientific Evidence and Current Debate*, Cambridge University Press

第8章 エネルギー問題の倫理

牛山　泉

人類の文明を支えてきたエネルギーは、木材にはじまり、石炭、そして石油で化石燃料利用のピークを迎え、さらに核エネルギー(原子力)までも使うようになった。しかし、いずれも人類の持続可能な将来を支えるエネルギーとはなりえず、とくにコンスキエンティア(良心、第1章参照)の欠如した原子力発電は大きな課題を抱えており、使用には弊害も大きい。地球環境との調和を保ち永続的に人類の将来を支え得るのは、エネルギー倫理の観点からも、再生可能エネルギーのみではないかと思われる。

一　エネルギーの歴史の流れ

世界のエネルギーの歴史概観

人類の歴史を振り返り、世界の四大文明――エジプト、メソポタミア、インダス、中国の文明のエネルギーについて考えてみる。それぞれが、ナイル河、チグリス・ユーフラテス河、インダス河、黄河、といずれも大河の流域に発生している。これら文明の発生の地は、現在、どこも自然環境が荒廃している。それは、古代都市をつくるための建材やエネルギー源として、周辺の森林を次々に伐採したからである。古今を問わず、都市はエネルギーも食料も消費し、ものを生産する場所である。都市ができれば、周辺の環境は必ず大きな影響を受けることになる。

時代が下ると、ますます木材の需要は高まり、アルプス以南の地域の森林は、ローマ帝国時代には繰り返し伐採されて木材採取が困難になっていた。さらに、中世以降にはアルプス以北の森林も切られていき、木材採取域は一九世紀にはポーランドに達している。エネルギーと建材に加えて、食料である小麦を栽培するために森林を農地化する必要があったのである。

イギリスでも事情は同じで、森林は中世に消えていった。島国であるイギリスは、一九世紀に入ると建材はもちろんのこと、燃料としての薪にも事欠くようになった。幸いイギリスには良質の石炭があり、そこで盛んに石炭を掘りはじめた。しかし、露天掘りは井戸を掘るのと同じで、地下水が湧き出してくる。それを汲み出すのに人力のポンプでは間に合わず、複数の馬によるポンプ駆動の揚水を行ったが、最終的には蒸気機関がポンプ駆動や繊維機械の動力にも使われるようになった。これが一八世紀末に起こった産業革命のはじまりである。今ではイギリスの森林は国土の七％弱に過ぎない(牛山 一九九九、八八—八九頁)。

日本のエネルギーの歴史概観

日本の中心は、かつて奈良盆地に置かれていた。飛鳥京、藤原京、平城京と、六世紀から八世紀のことである。ところが八世紀末に、桓武天皇によって奈良から京都に都が移された。政治や宗教に遷都の理由を求める歴史家もいるが、確かなことは、奈良にはもう森林が残っていなかったということである。

当時のエネルギー源は薪であった。また木材は建材としても使われており、一人当たり年間に一〇本ほどの樹木が必要であった。都の置かれていた頃の奈良盆地の人口は一〇万人程度と推定されるので、奈良盆地全体では年間一〇〇万本の木を伐採することになる。これは、毎年一〇〇万坪の森林が消失することを意味する。奈良の都は二〇〇年続いているから、奈良盆地の周囲の山には木は残っていなかったのだ。

その八〇〇年後、一六〇〇年の関ヶ原の戦いに勝利した徳川家康は、軍事的に不利で、しかも未開地だった江戸に幕府を開いた。なぜだろうか。これも、当時の政治や文化の中心だった兵庫、大阪、京都、滋賀、奈良など関西地域にはもう木材が残っていなかったからである。家康は手つかずの森林に魅力を感じて江戸に幕府を開いたが、この江戸の繁栄にもやがて限界が訪れる。やはり木材の不足である。幕府の天領の一つが置かれた天竜川流域は、重要な木材の供給地であったが木材伐採量は一七〇〇年頃がピークで、その後、急速に減少している。幕末に活躍した歌川広重の浮世絵「東海道五十三次」の中でも、山には木がまばらにしか描かれていない。また、幕末には多くの外国人が日本を訪れているが、「神戸の山には木がなくて丸裸だ」と驚いている。幕末の日本は森林が枯渇寸前だったのである(竹村 二〇一四、一三八―一三九頁)。

一八五三年、ペリーが黒船で来航して幕府に開港を迫り、鎖国が終わって明治維新になるが、黒船は、日本の外交政策を転換させたのみでなく、エネルギー政策も一変させる。ペリーらの四隻の巨大な黒船を動かしているのは木材ではなく、石炭であることを知って、日本人は驚き喜んだ。幕末の木材資源は限界に来ていたが、石炭なら各地の地下に潤沢に存在したからである。やがて、北海道や九州の炭鉱が開発され、日本は一気に木材エネルギーから石炭エネルギーに転換し、一時期は石炭を輸出までしていた。これにより、日本は一気に近代化を進め、繊維工業から重化学工業を発展させていった。

石炭から石油の時代へ

さらに時代は下り、第一次世界大戦で世界的なエネルギー政策の転換が起こった。エネルギーの主役が石炭から石油に替わったのだ。このエネルギー転換がやがて日本を窮地に追い込むことになる。日本には石炭はあっても石油はまったくなかったからだ。観戦武官として二回も欧州の戦場を見た海軍の名将秋山真之は、「これからの戦争は機械と石油だ」と看破しているが、日本は石油の重要性を理解できず、日本海軍が全艦艇の燃料を重油に切り替えたのは一九三〇年で、イギリス海軍より一五年以上も遅れている(渡部 二〇一四、八〇頁)。

第二次世界大戦直前の石油産出量を見るとアメリカが突出して多く、日本の石油需要はアメリカからの輸入に頼るしかない状況であった。日本は軍備を拡張して領土の拡大を企てるが、アメリカに石油を止められて苦しむあまり太平洋戦争に突入する。日本はオランダ領インドネシアの石油を狙って南方進出を図るが、油送船が次々に沈められ、クレマンソーのいう「石油の一滴は血の一滴」という危機的な状況に追い込まれた。戦争末期には、松の木の根を掘り出して、石油代用の松根油をつくろうとしたほどである。このように日本の太平洋戦争は石油ではじまり石油で終わったのである。

戦後の日本は、国産の石炭と中東で開発された安価な石油を大量に輸入することで復興を成し遂げたが、「原子力の平和利用」というスローガンのもとで国策の研究開発がなされ、一九七〇年には原子力発電もはじまった。とくに一九七三年の石油危機以降、原子力発電の比重が高まり、地震国にもかかわらず、二〇一一年三月の福島原発の事故前には全国で五四基(総設備容量四八二〇万キロワット)という世界第三位の原発保有国となったのである。

二　エネルギーの現在地

エネルギーと地球環境問題

無限にあると考えられていた化石燃料が有限であることが意識されるようになったのは、一九七二年、ローマクラブの「宇宙船地球号」というキャッチフレーズで知られる報告書『成長の限界』によってであった。さらに一九七三年の石油危機はそれを強く認識させる契機となり、先進国の間では有事の際には互いに石油を融通しようという国際エネルギー機関(IEA)が設立された。

その後、一九九〇年代に入ると地球環境問題が浮上してきた。一九九二年、リオデジャネイロで行われた「地球サミット」において、日系カナダ人の一二歳の少女セヴァン＝カリス・スズキが「どうやって直すのかわからないものを、これ以上壊し続けるのはもうやめてください」と訴えた。

二〇一九年にはニューヨークでの国連気候サミットにおいて、スウェーデンの一六歳の高校生グレタ・トゥンベリが「あなた方は、空虚な言葉で、私たちの夢を奪いました」と叫び、一躍時の人になった。これを契機に、世界の主要機関投資家が、二〇二〇年までにCO_2(二酸化炭素)の削減目標を引き上げ、石炭火力発電所を段階的に廃止し、さらに化石燃料の消費量削減のため炭素税を導入すべきであると宣言した。世界経済フォーラムもCO_2排出量の多い重工業で、二〇五〇年までにCO_2排出量をゼロにするミッションを掲げた。また、銀行からも、融資が環境や社会にどのような影響を与えるかを公表する「国連責任銀行原則」を発足させ、その目標達成には、CO_2排出量の多い融資先に削減を求めるか、融資を止めるかのいずれかとなる。このように、気候変動が異常気象や海面上昇をもたらし、社会を揺るがすような危機を発生させると考え経済界も動き出した。

地球温暖化と政治

ここで注意すべきは、一般に流布されている「地球の温暖化は人間の活動の結果生じるCO_2の増大が原因である」という認識は、あくまで仮説に過ぎないということである。地球上の自然はきわめて複雑な大きなシステム（系）であり、種々の要素が互いに影響しあって安定と調和が保たれている。地球温暖化論は、原因と結果の関係が不明確な、きわめて多くの要素からなる複雑系の問題なのである。一九九〇年代はじめにソ連の崩壊により東西対立はなくなったが、石油の枯渇が認識され、これと地球温暖化防止という名目でCO_2削減がセットになり、世界共通の課題として地球環境問題が政治的に設定されたといえる。

温暖化論が科学的に正しいか否かの結論は簡単には出ないが、近年ますます激甚化している気象災害などからも、「疑わしきは罰して」CO_2削減に努めるのが予防保全の立場からも望ましいと思われる。そこで、CO_2を出さないエネルギー源として、原子力発電と再生可能エネルギーが浮上したわけである。原子力発電は技術的にも社会受容性からも問題が多いのに対し、再生可能エネルギーは近年、急速な技術的な進歩もあり、分散型エネルギー活用の電力インフラも整備されつつあることから、先進国においては完全に再生可能エネルギー待望の流れとなっている。

原子力発電の課題

ここで、原子力発電の問題点について整理しておこう。原子力発電はいうまでもなく、技術的には核兵器と切っても切れない関係にある。民生と軍事のデュアルユースの負の面をはじめから背負って誕生したエネルギー源なのだ（村上 二〇〇六、一七一頁）。「核エネルギーの平和利用」という掛け声の下で、潜在的な危険性の大きいこの産業に国家主導的に取り組んだのは、核兵器開発に乗り遅れまいとする思惑があったからである。したがって、原子力問題には常に国際政治的力学が背景にあり、国家機密の技術であるゆえの機密性、閉鎖性がつきまとっている。

本来、良心に基づく原子力発電の導入は、専門家からの科学的合理性のある判断材料が、国民、政治家の間の共通の「知」、つまりコンスキエンティアの働きを担保しうるものとして提供され、これに基づいて判断され、透明性をもつ情報公開がなされるべきであった。しかし、日本の原子力発電は国策民営で運用されてきたため、政治家の恣意的判断で決まることが多く、つねに疑惑と隠ぺいがつきまとったわけである。原子力発電を運用するいずれの国においても同様に、多かれ少なかれコンスキエンティアが欠如しているのではないだろうか。そして、原子力のような中央集権型の巨大技術を国家や大企業がひとたび保有すれば、核兵器の保有とは別に、それ自体がエネルギー市場やエネルギー供給管理のうえで、大きな支配力を保証することになる。世界中のほとんどの政府が、太陽光や風力など地域分散型の再生可能エネルギーを軽視し、まず原子力にとびついたのは、この中央集権性ないし支配力にあったように思われる（高木 一九九九、二一七頁）。

もちろん、原子力には、放射能による生命と生態系への危険性、とりわけ原発の巨大事故のリスクが潜在する。巨大科学技術システムが共通に背負っている破局的な事故の可能性、それにからむヒューマンエラーの可能性の問題が、原子力には凝縮した形で存在する。二〇一一年の東京電力福島第一原発の事故ではこれが現実となったのである。ドイツではこれに学んで倫理委員会を立ち上げた。倫理的価値評価の要点は「持続可能性」とその「責任」であり、未来世代に何を残せるかを慎重に検討し、二〇二二年までの原子力発電の全廃を決めている。一方、事故を起こした当事国の日本は、誰も責任を取ることなく、経済優先、再稼働ありきで原発に固執しているのである。

欧米のキリスト教社会では、「人間は、例外なく原罪を負っている。原罪を負う人間の行動は、間違っている可能性が常にある」という大前提がある。したがって倫理規定が重要視される。また、原発の運転開始当初から未解決の問題は、放射性廃棄物の問題である。日本では二〇二〇年現在、国内外に使用済み燃料の再処理で取り出されたプルトニウム約四〇トン（長崎型原子爆弾六〇〇〇発に相当）を保有している。現世の利得のために将来世代に解決不能の負の遺産を押しつけるという、倫理的に許されることのない根本的な矛盾を抱えているのが原子力発電なのだ。

三　将来のエネルギー

エネルギー問題の預言者 内村鑑三

ここで、エネルギー問題に倫理の光を当てるために、真の愛国者であった内村鑑三について、その倫理観と道義観を明らかにしよう。彼が軽井沢の星野温泉（現・星野リゾート）の創始者・星野嘉助に書き与えた「成功の秘訣十ヶ条」の中の四つのポイントをあげておこう。「一、成功本位の米国主義に倣うべからず、誠実本位の日本主義に則るべし。一、能く天の命に聴いて行ふべし。自ら己が運命をつくらんと欲すべからず。一、誠実に由りて得たる信用は最大の財産なりと知るべし。一、人もし全世界を得るとも其霊魂を失はば何の益あらんや。人生の目的は金銭を得るに非ず。品性を完成するにあり」。

このように、内村は一〇〇年以上も前に、米国の成功本位の問題点を警告し、今日の米国発の金銭至上の新自由主義経済の到来を予見しているのである。

また、内村は、国際的に知られる『代表的日本人』（原著は英語）で、西郷隆盛（明治維新の立役者）、上杉鷹山（米澤藩主）、二宮尊徳（農政家）、中江藤樹（儒学者）、日蓮上人（仏教者）の五人を取り上げ、日本人の美徳を欧米人に紹介している。この五人に共通するのは、自分の利益よりも他者の幸せを優先する利他主義を貫いていることである。西郷隆盛の「敬天愛人」に象徴されるように、五人の生き方や考え方はキリスト精神に通じるものがある。禁制が敷かれていた日本にあって、イエス・キリストの存在や神の愛を知らなくても、キリスト教徒以上に殊勝な生き方をした日本人がいたことを西洋人に強くアピールしたのである(若松 二〇一七、二八頁)。同じ時期に、札幌農学校の同級生である新渡戸稲造も『武士道』(原著は英語)で日本人の美徳と道義心を紹介している。

『デンマルク国の話』について

日本の将来のエネルギー構想として参考にすべきは内村の『デンマルク国の話』である。デンマークは一八六四年に隣国ドイツ(当時のプロイセン)との戦いに敗れ、ドイツと国境を接するユトランド半島南の一番豊饒な、シュレズウィヒとホルシュタインの二公国を、住民ごと割譲させられ、人口も二五〇万人から一八〇万人に激減した。国土の三分の一を失い、荒廃した国土と貧困生活とで国民が絶望の淵に沈んでいたとき、国民高等学校を設置して社会の秩序を回復し、国民に希望を与え、デンマークの再興を図ったのがニコライ・グルントヴィであった。内村は、デンマークの復興には、グルントヴィが実践した教育思想の影響が非常に大きかったと述べている。この『デンマルク国の話』は、その末尾に以下のような、再生可能エネルギーによる救国のメッセージが記されている。

「デンマークの話は私どもに次のことを教えます。第一に敗戦かならずしも不幸にあらざること、第二に天然の無限的生産力、第三に信仰の実力を示します。とくに第二は天然の無限的生産力を示します。富は大陸にもあります。島嶼にもあります。沃野にもあります。砂漠にも在ります。大陸の主かならずしも富者ではありません。小島の所有者からなずしも貧者ではありません。善くこれを開発すれば小島も能く大陸に勝るの産を産するのであります。ゆえに国の小なるはけっして嘆くに足りません。これに対して国の大なるはけっして誇るに足りません。富は有利化されたるエネルギー(力)であります。しかしてエネルギーは太陽の光線にもあります。海の波濤(なみ)にもあります。吹く風にもあります。噴火する火山にもあります。もしこれを利用するを得ますればこれらはみなことごとく富源であります。かならずしもイギリスのごとく世界の陸面六分の一の持ち主となるの必要はありません。デンマークで足ります。然り、それより小なる国で足ります。外に拡がらんとするよりはうちを開発すべきであります」(内村　一九四六、八六—八七頁)。

つまり、「外なる有限ではなく、内なる無限に目を向けよ」と訴えているのだ。ここには、現在の太陽光、波、風、地熱があげられているが、本文では木質バイオマスである植林について述べている。現在、デンマークではサムソ島やロラン島など再生エネルギー一〇〇%を達成しているコミュニティも多く、デンマーク全体では電力の四五%以上を風力発電で賄っている。

一方、国土面積がデンマークの八倍もある日本ではどうであろうか。年間降雨量がデンマークの二倍もあり、国土の七割が山岳丘陵地であり、大小の河川が三万本も流れていることから、上記に加えて水力も十分利用可能である。さらに排他的経済水域は世界六位であり、洋上風力発電や潮流発電、波力発電も期待できる。日本はまさに自然エネルギー王国なのであり、内村の忠告に従うなら、日本ばかりでなく全世界の持続可能な発展目標SDGsの達成の好機になりうるわけである。その導入にあたっては、福島原発の事故教訓を生かし、専門家、国民、政治家の間の共通の「知」、コンスキエンティアに立脚して、透明性をもつ情報公開が不可欠といえよう。

世界と日本の将来のエネルギー

脱炭素化が世界の大目標となる動きの中で、二〇一九年一一月にＩＥＡから注目すべき報告がなされた。ＩＥＡ刊行の“Energy Outlook”二〇一九年版においてはじめて再生可能エネルギーを大きく取り上げ、洋上風力に関する詳細な分析を行ったのである(IEA 2019)。これによると、今後の世界のエネルギーは、石炭火力は現状の二〇％から二〇四〇年には二〜三％に激減し、原子力も次第に減少、現状の二五％から二〇四〇年には一八％になり、その後さらに減少が進むと予測している。一方、二〇一九年に電力の一〇％程度の陸上風力は二〇二六年頃に一五％、二〇四〇年に二〇％となり、その後は適地の減少もあって微増にとどまるのに対して、洋上風力は、現状の二％から二〇二八年には一〇％、二〇四〇年に二〇％となり、その後もさらに増大して、再エネの中で最大のシェアを占めることになるとしている。まさに、これからは再生可能エネルギー、格別、洋上風力発電の時代なのである。

ＥＵ風力発電協会では二〇一九年に「二〇五〇年までに洋上風力発電四五〇ＧＷ(ギガワット)開発計画」を公表し、ＥＵ全体の電力需要の五〇％(洋上のみでは三〇％)を供給することとしている。このうちイギリスは八〇ギガワット(原発八〇基分)を占めている。このような、洋上風力発電の導入拡大には人材育成が急務であるが、デンマークでは難民に職を与えるために風車メンテナンス技術者の育成を図っている。注目すべきは、技術的スキルの習得に加え倫理観を身につけるまでを原則として、二六歳まで現場に出さないという。日本企業もこのような倫理指針を学ぶべきであろう。

最後に、人類の将来に向けたエネルギーの課題は①経済の成長、②持続可能なエネルギーの導入拡大、③地球環境の保全、の同時並行解決の継続である。とくに有限で環境に負荷を与える化石燃料を脱却して、風力や太陽光など再生可能エネルギーによる水の電気分解で得られる究極の持続可能なクリーンエネルギー水素に切り替えるパラダイムシフトが必須である（牛山 一九九九、二五一—二五二頁）。

ドイツ政府はCO_2削減のための「水素戦略」を決定し、再生可能エネルギーによる水素により、鉄鋼・化学・運輸など重要産業のエネルギーとして脱CO_2促進に利用するとともに、水素技術の輸出も強化しつつある。ドイツと日本は水素エネルギー技術において世界をリードしていることから、一日も早い「水素社会」の到来がまたれる。

まとめ

- 原子力発電の導入においては、専門家、国民、政治家の間のコンスキエンティアの働きが担保されてこなかったことが課題である。公平性・透明性のある情報公開が不可欠である。
- 人類の共通の目標は、次世代に負担をおよぼさない持続可能な社会をつくり、それを引き継いでゆくことである。それを支えるエネルギーも当然持続可能でなければならない。
- 将来的に、持続可能なのは再生可能エネルギーのみである。とくに日本においては洋上風力発電が最大のポテンシャルを有するものであり、日本はイギリスと共に世界のリーダーとなり得る。

参考文献

牛山泉（一九九九）『エネルギー工学と社会—環境調和型社会に向けて』放送大学教育振興会
内村鑑三（一九四六）『後世への最大遺物・デンマルク国の話』岩波文庫
高木仁三郎（一九九九）『市民科学者として生きる』岩波新書

竹村公太郎（二〇一三）『日本史の謎は「地形」で解ける』ＰＨＰ出版
村上陽一郎（二〇〇六）『工学の歴史と技術の倫理』岩波書店
若松英輔（二〇一七）『内村鑑三代表的日本人――永遠の今を生きるものたち』ＮＨＫ出版
渡部昇一（二〇一四）『国家とエネルギーと戦争』祥伝社新書
IEA (2019) *Offshore Wind Outlook*

第9章　環境破壊・原発問題と未来へのまなざし

和田喜彦

本章では、公害事件、および原子力発電による環境汚染の事例を取り上げ、これらの発生メカニズムを検証し、相互に共通する特徴について検討を加える。そのなかで、公害や環境汚染を良心の観点から検証し、とくに未来世代と「共に知る」という視点から考察を加える。新型コロナウイルス感染症への政府の対応が、公害・原発問題のそれとの共通性があることを指摘し、アフター・コロナ時代の教育、学問、社会経済のあり方を展望したい。

まず、「公害」の定義について確認したい。一九九三年公害対策基本法と自然環境保全法を統合することにより環境基本法が制定された。この法律では「公害」を次のように定義している。

「この法律において「公害」とは、環境の保全上の支障のうち、事業活動その他の人の活動に伴って生ずる相当範囲にわたる大気の汚染、水質の汚濁(略)、土壌の汚染、騒音、振動、地盤の沈下(略)及び悪臭によって、人の健康又は生活環境(略)に係る被害が生ずることをいう」

鉱物資源の採掘や製錬で発生する公害を「鉱害」と呼ぶ。その他、公害の種類を表す言葉として、「食品公害」、「薬品公害」(「薬害」)、「公共事業公害」、「交通公害」、「新幹線(鉄道)公害」、「航空機騒音公害」、「基地公害」などがある(宮本 二〇一四、環境省 二〇二〇)。

一　公害・原発問題の共通項――経済至上主義と犠牲の受忍強要

公害は終わってはいない

「公害」という言葉は、一九五〇～七〇年代中頃まで盛んに使用された。一九七〇年代中盤以降、環境悪化の中心が、産業公害から徐々に生活公害や地球環境問題へとシフトしていったことにより、「公害」に代わって「環境破壊」「環境問題」などの言葉が広く使われるようになっている(堀川 一九九九、二一三頁)。このことから、公害は解決済みだという誤った認識が広がってしまった。しかし実際には、水俣病、カネミ油症などの公害被害者のなかには、認定患者として認められないままの人びとが多数存在している。認定された場合でも、本人と家族の苦悩は続いている。

大気汚染の一種であるアスベスト公害の悲劇は顕在化しつつある(宮本 二〇一四、七〇二頁)。とくに、潜伏期間が平均三五年とされる、中皮腫と呼ばれる珍しい癌の増加が著しい。日本国内における中皮腫による死亡者数は、一九九八年に五七〇人だったが、五年後の二〇〇三年には八七八人、さらに五年後の二〇〇八年には一一七〇人、二〇一三年一四一〇人、二〇一八年一五一二人と、増加し続けている(厚生労働省 二〇一九)。

また、リニア中央新幹線の本格建設が二〇一四年からはじまったが、多種多様な問題を引き起こしはじめている。「交通公害」「新幹線公害」の典型である。たとえば、リニア軌道の八六%がトンネルであることから、建設時に東京ドーム五〇杯分といわれる大量の土石が排出される。この大量の土石をどこに安全に保管するかが大問題となっている。岐阜県東濃地区には、日本で最大のウラン鉱床が存在するため、土石による放射能汚染が懸念されている。トンネル工事による地下水脈分断による河川流量の減少や水枯れも懸念される。電磁波による健康被害の懸念も解消されたとはいいがたい。乗客は乗車中の被曝のみで済むが、路線沿線や高圧電線の直下の住民は、常時被曝する(樫田 二〇一六)。以上のようにリニア中央新幹線は、現世代のみならず未来世代へ大きな負担をかけることが予想されている。

軍事基地周辺の騒音公害や、軍用機の墜落事故や部品の落下事故、基地建設に伴う環境破壊などの「基地公害」は日本各地で発生し続けている。とりわけ沖縄県で深刻化している。

軍事行動が実際に起きた場合に環境被害は桁外れに大きくなる。一九四五年八月の広島・長崎への原爆投下はその最も深刻な事例である。ベトナム戦争で使用された枯葉剤(エージェント・オレンジ)、湾岸戦争、イラク戦争、コソボ紛争などで使用された劣化ウラン弾は甚大な環境汚染と健康被害をもたらしており、将来世代への影響も懸念される。

原子力発電の最大の問題は、通常の運転時においても被曝労働による健康被害と死者が多発しているという事実である(樋口 二〇〇三、広瀬他 二〇〇〇、二八六—三〇〇頁)。労務管理に問題がある場合もあるが、それ以前に、原発が、必然的に放射線被曝による健康障害と死者を生む構造をもつ欠陥技術だからである。プラント内に縦横に張りめぐらされた無数の循環水管のボルトのゆるみやひび割れ、バルブの不調、放射性物質を含む汚染水の漏えい、その他の問題は日常的に発生し、原子炉を運転したまま至近距離での補修が即時必要となり、被曝が強要される。年に一回実施される定期点検と修理においては、ロボットを使った遠隔操作では行えない作業が多種ある。炉心周辺は運転時も停止時も放射線レベルがきわめて高く、場所によっては一人当たり数分以内で交代するというきわめて厳しい環境だ。放射線を大量に浴びる危険な作業を引き受けるのは、多くの場合下請け・孫請け会社の社員か、釜ヶ崎や山谷などの「どや街」に暮らす非正規・日雇い労働者たちだ。彼らは癌や白血病を発症する前に手切れ金を手渡され解雇されることもある。科学技術の粋を集めたはずの原発は「生命とカネとを交換することにつながらざるをえない被曝労働を抜きにしては成り立たない」(高木 二〇一七、三二二頁)。被曝労働を常に必要としているのが原発であり、社会的に弱い立場の人びとの尊厳と基本的人権を蹂躙する劣悪な技術である。すべての人間の基本的人権は憲法や世界人権規約で保障されているはずである。二一世紀の先進国でこうした技術が公然と採用されていること自体が不思議である。昨今の報道でようやく、アフリカ系移民の生命が米国で軽く扱われている現実が知られるようになった一方で、こうした被曝労働の非倫理的な側面は広く共有されてはいない。

被曝労働による死者発生を黙認する日本政府や経団連の思考回路には、下層労働者への差別思想と「優生思想」(第11章参照)が見え隠れする。日本政府と経団連は「誰一人取り残さない」をモットーとするSDGs(Sustainable Development Goals, 持続可能な開発目標)を積極的に進めているが、もしそううたうのであれば、まずは原発から手を引くことが筋であろう。

公害事件――いくつかの共通項

公害事件は、一般的に以下の六つの共通した特徴を有する(宇井 二〇〇二、宮本 二〇一四)。

(1)公害発生には前兆がある。行政や加害企業が前兆を直視し、適切に対応すれば、被害を予防、または最小限に留めることができる。初期対応を誤ることで被害が拡大する。

水俣病の場合、ネコに異常行動が観察され、やがて人間に影響が出はじめた。カネミ油症事件では、まずニワトリが大量死し、やがてヒトに皮膚炎、内臓疾患などの障害が現れてきた。

(2)原因物質が特定されかけるが、それを否定したり、原因は別にあると主張する者が現れ、原因が曖昧になる。結果的に対策が遅れ被害が拡大する。

水俣病患者の公式確認は一九五六年五月一日であるが、三年後には熊本大学医学部が原因物質を日本窒素水俣工場の廃液中の有機水銀と特定した。ところが、日本窒素と化学工業界、東京工業大学教授の清浦雷作、通産省は、協力して反論を展開した。また東京大学医学部名誉教授田宮猛雄、同学部の勝沼晴雄らの学者が、因果関係が不明になるように画策した(宇井 二〇〇二、六四頁)。

東京電力福島第一原子力発電所事故の三年後の二〇一四年時点で、福島県内の一八歳未満の若者の甲状腺癌の発生率が約三〇倍に増加していることが発表された(Tsuda et al. 2016)。しかし、政府は原発事故との因果関係を否定し、増加の原因は「スクリーニング効果」であると説明している。

(3)健康被害が認定されたとしても、被害は過小評価される。

水俣病においては、政府による包括的な調査は一切実施されてこなかった。熊本大学医学部教授の原田正純らがボランティアを募って各地で調査を実施した結果、不知火海沿岸には、二〇万人ほどの水俣病患者がいることが判明した。政府による水俣病認定患者数は二二八三名(二〇二〇年四月三〇日現在)にすぎず(水俣市立水俣病資料館HP)、実態と公式認定数の乖離の幅は約九〇倍と、きわめて大きい。

(4)「コスト－ベネフィット論」が動員され、コスト(被害)額を大きく上回るベネフィットが生じるので、多少の被害は受忍せよという結論になる。

水俣病の原因がほぼ明らかになった後も九年間操業が続けられた。日本窒素が日本のアセトアルデヒド(塩化ビニルの原料)の生産シェアの大部分を生産していたため、政府は操業を停止させなかった。多少の犠牲を生じさせたとしても工場の操業を停止させないことが国策であったのだ(栗原 二〇〇〇、一三頁)。

第二次世界大戦後、原子力発電が、世界の原子力複合体によって推進されてきたが、原子力発電所(原発)稼働による経済的ベネフィットが、被曝による被害や事故による社会的損失を上回るとする論法が用いられてきた(中川 二〇一一、一四二―一四九頁)。いずれの場合も、このコスト－ベネフィット計算には、前述したように過小評価された被害(コスト)額が利用される。ベネフィットの大きさと比べてコストが小さくなるのは、予定調和なのである。

(5)被害や負担は、社会的立場の弱い者、少数民族、発展途上国(宮本 二〇一四、一四・五六二頁)、高齢者、子ども、未来世代などに押しつけられる傾向がある(牛山 二〇一九、一九頁、第8章参照)。

一九八〇年代から一九九〇年代前半にかけて、三菱化成(現在の三菱ケミカル)の子会社のエイジアン・レアアース(ARE)社がマレーシアで引き起こした放射能汚染事件(ARE事件)がある(和田 二〇一五)。この事件は、環境汚染を発生しやすい産業が、環境政策が強化された先進国から発展途上国に移転する「公害輸出」の典型例である。

原発稼働による被曝労働で健康を崩し死に追いやられるのは日雇いなどの下層労働者たちである。また、核燃料の原料となるウランの採掘と精錬は、土壌汚染を発生させる。ウラン鉱山跡地の管理は一万年継続する必要がある。使用済み核燃料の放射能レベルは使用前の一億倍となる。この危険な物質は一〇〇万年の管理が必要だ。現世代が便利な生活を享受したがために、放射性物質の管理を超長期的に未来世代に押しつける結果となっている(若尾他編 二〇一七)。

(6)加害企業や責任者が十分責任を取らないまま、「おとがめなし」となる場合が多い。

足尾銅山鉱毒事件の加害企業である古河鉱業、カネミ油症事件のカネミ倉庫、マレーシアのARE事件の実質的な加害企業の三菱化成の責任者は誰も罰せられていない。原発稼働被曝が原因で死者が多発することを了解しつつ、発電を続行する九つの電力会社幹部、原発を推進する科学者・政治家や官僚・メディアについても、誰も責任を取っていない。福島原発過酷事故を起こした東京電力幹部も同様である(第8章参照)。

経済至上主義と犠牲の受忍強要

以上六つの共通項を貫く思想は、経済至上主義と犠牲の受忍強要である。経済至上主義とは、経済成長を最高の価値ととらえ、社会は経済成長を実現するために組織されるべきだという信念である(Cobb 1999、五頁)。この主義は、経済成長こそが人類の福祉(ウェルビーイング)を高める唯一の方法で、経済成長があらゆる問題(貧困、失業、格差、環境問題など)を解決すると考える。経済至上主義のもとでは、環境や健康を守る、正義と平等を尊び、民主主義や国家主権を守る、未来世代への責任を果たすなどの価値は、相対的に経済成長より低く位置づけられる。犠牲の受忍は、経済至上主義と功利主義、差別思想と優生思想から派生し、前述の「コスト－ベネフィット論」という形で具現化する。

新型コロナウイルスの感染拡大の第二波が、二〇二〇年七月に東京都や大阪府などの大都市圏に到来していた。それにもかかわらず、日本政府は感染拡大を抑制するための移動自粛を要請するどころか東京都を除く「Go To トラベル」キャンペーンによって経済の活性化を優先した。このことは、公害と原発の特徴である経済至上主義と犠牲の受忍強要という特徴が、新型コロナウイルス感染症対応の本質でもあることを意味する。

二　公害・原発・コロナ問題解決のための提言

野生生物との距離を保つ「エコロジカル・ディスタンス」と商取引規制

発展途上国の熱帯密林が開発され、そこに人間が入り込むことで、これまで人類が接することがなかった新興感染症の宿主である野生動物とヒトとの出会いの場がつくられてきている。これが新興感染症の温床となっている(石 二〇一八)。生態系のなかでの人間と野生生物との距離感を保つこと、すなわち「エコロジカル・ディスタンス」を保つことで新興感染症に罹患するリスクを減らすことができる。具体的措置としては、熱帯林の乱開発を禁止することが一つである。そのために、生物多様性の減少を防止するために設定される自然保護区の面積を大胆に拡大することを提言したい。さらに、食用・薬用・ペット用としての野生動物の捕獲と商取引を厳しく規制する国際条約を締結し実施することも提言したい。

「共感共苦」「批判精神」をもつ「市民」育成のために

公害問題を大学生に講じると、多くの学生が異口同音に、水俣病は中学・高校の社会科などで「知識として」習ったが、被害者や家族が現在も苦難の人生を送っているという実態はまったく知らなかった、などのコメントを寄せてくれる。初等中等教育において「共感共苦」(木原 二〇一八、六七頁)の感受性、差別や不正義への「批判精神」、そして未来世代への共感と責任感と倫理感をもつ「市民」育成のための科目、たとえば「自覚と責任感のある市民科」「良心的市民科」のような科目を設置するか、社会科、総合的な学習や道徳科の中の必修項目として指定すべきではないか(第6章参照)。

前節で、科学者や企業人、政治家などが公害の発生と深刻化に加担してきた歴史をみたが、その多くが大学教育を受けた人びとである。知育偏重の現行の大学教育に問題があると考えられる。同志社大学の創立者である新島襄は、大学教育における「智徳併行」教育の必要性を主張している。高等教育においては企業倫理、経済倫理、環境倫理、生命倫理などの科目や、同志社大学で行っている良心学などを必修とすべきではないだろうか。

経済学改革――経済至上主義との訣別

経済学は、経済至上主義から脱却し、人間の尊厳と生命を守る経済倫理学へと変わるべきである。経済成長や生産力は、あくまで個人の健康的で幸せな人生を送るという究極的な目的達成のための手段に過ぎない。しかし、公害事件でも、原発問題でも、コロナ対応でも、生命・健康よりも、経済成長・生産力優先となり、究極目的が下位に落とされ、手段がその上に君臨している。究極の目的は譲るべきではない。手段＝経済も重要だが、経済を回していくための方法は他にもあるはずだ。

たとえば水俣病の場合、疑義がある工場の操業を停止させ、代替的工程を活用させるべきであった。原発以外の有望な発電方法は多種存在する（牛山 二〇一九、第8章参照）。新型コロナウイルス感染症対応では、無理に経済を刺激する方法ではなく、「経済構造調整税」を新設すべきであろう。コロナ特需を享受する業界（IT関連、ゲーム業界など）から経済構造調整税を徴収し、低迷している観光・旅行・運輸・外食産業などへの支援のために回す方法だ。

未来世代への責任を可視化する新たな評価指標――フューチャー・エコロジカル・フットプリント

エコロジカル・フットプリント（EF）は、経済活動の環境負荷を面積単位で表し、地球生態系の供給能力と比較する指標であり、近年、世界的に注目されている。地球の平均的生産性をもつ土地水域面積一ヘクタール（ha）を一グローバル・ヘクタール（gha）と定義する。人類全体の平均的EFの大きさは、一人当たり二・八 ghaであり、一方、地球の供給能力（バイオキャパシティ、BC）は一人当たり一・六 ghaであるので、人類は地球一・七個分の暮らしを行っていることになる（二〇一六年データ、第5章参照）。平均的日本人の一人当たりＥＦは四・五ghaであるので、地球二・八個分の暮らしとなる。平均的アメリカ人のＥＦは、八・一ghaであるので、地球五・〇個分の生活を行っているという計算になる(Global Footprint Network 2019)。ＥＦを地球一個分に引き下げることを人類共通の目標とすべきであろう(和田 二〇〇九)。

　現在のＥＦを可視化することは重要ではあるが、世代間の公平性という観点から、現世代の経済活動が将来世代にどれだけの負荷を与えるかも計測されなければならない。フューチャー・エコロジカル・フットプリント(future Ecological Footprint, fEF)は、現在の経済活動が将来世代にどれだけの負担を掛けることになるのかを面積として計測したものである。従来は、事後継続的影響管理コスト(Prolonged Impact Management Cost, PIM Cost)と呼称されてきた(和田 二〇〇七)が、より一般的に普及させるために、ｆＥＦと変更し、より精緻化させていきたい。たとえば、原子力発電所から生じる使用済み核燃料のｆＥＦは莫大なものとなる。したがって、原子力発電から手を引くことが現代世代と未来世代の双方にとって合理的な選択として明示化される。リニア中央新幹線のｆＥＦは、東京ドーム五〇杯分にも上る土石の量、既存の新幹線の三〜五倍の電力を必要とすることを考えれば、巨大なものになることは予想できる。

まとめ

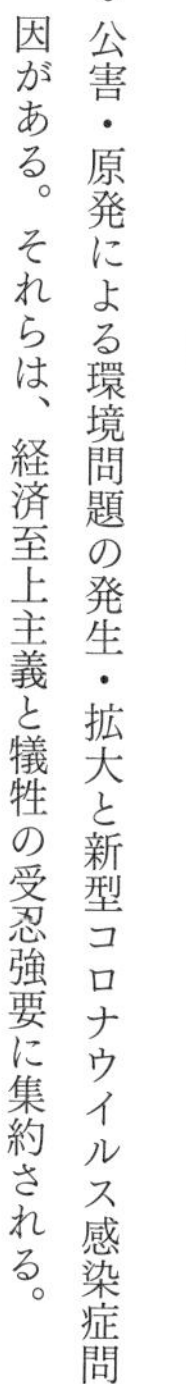

- 公害・原発による環境問題の発生・拡大と新型コロナウイルス感染症問題の発生・拡大の間には、共通・類似の要因がある。それらは、経済至上主義と犠牲の受忍強要に集約される。
- 経済至上主義と犠牲の受忍強要という既存のパラダイムから脱却することが問題の本質的解決に結びつく。
- 新興感染症の原因のひとつが途上国の密林開発であることから、「エコロジカル・ディスタンス」を保ち、野生動物の商取引を規制する政策が必要である。
- 未来世代への共感を育み責任感を堅固にするために、公害史から学ぶことや、初・中・高等教育改革、経済学改革、新たな評価指標が必要である。

参考文献

石弘之(二〇一八)『感染症の世界史』角川ソフィア文庫
宇井純(二〇〇二)「日本の公害体験」吉田文和・宮本憲一編『環境と開発』岩波書店
牛山泉(二〇一九)『自然エネルギーが地球を救う――「脱原発」への現実的シナリオ』いのちのことば社
樫田秀樹(二〇一六)『増補〝悪夢の超特急〟リニア中央新幹線――建設中止を求めて訴訟へ』旬報社
環境省(二〇二〇)『環境白書・循環型社会白書・生物多様性白書』令和二年版
木原活信(二〇一八)「社会福祉と良心」同志社大学良心学研究センター編『良心学入門』岩波書店
栗原彬編(二〇〇〇)『証言 水俣病』岩波新書
厚生労働省(二〇一九)「都道府県(特別区―指定都市再掲)別にみた中皮腫による死亡数の年次推移(平成七年～三〇年)――人口動態統計(確定数)より」
高木和美(二〇一七)『原発被曝労働者の労働・生活実態分析――原発林立地域・若狭における聴き取り調査から』明石書店
中川保雄(二〇一一)『増補 放射線被曝の歴史――アメリカ原爆開発から福島原発事故まで』明石書店
樋口健二(二〇〇三)『闇に消される原発被曝者』御茶の水書房
広瀬隆・藤田祐幸(二〇〇〇)『原子力発電で本当に私たちが知りたい１２０の基礎知識』東京書籍

堀川三郎(一九九九)「戦後日本の社会学的環境問題研究の軌跡——環境社会学の制度化と今後の課題」『環境社会学研究』第五巻、二一一—二二三頁

水俣市立水俣病資料館ＨＰ
https://minamata195651.jp/list.html#3 二〇二〇年七月三〇日閲覧

宮本憲一(二〇一四)『戦後日本公害史論』岩波書店

若尾祐司・木戸衛一編(二〇一七)『核開発時代の遺産——未来責任を問う』昭和堂

和田喜彦(二〇〇七)「エコロジカル・フットプリント指標の応用動向と今後の課題——事後継続的影響管理(ＰＩＭ)コストの算入について」『日本ＬＣＡ学会誌』第三巻第一号、三—一〇頁

和田喜彦(二〇〇九)「「地球一個分の経済」達成状況を可視化するエコロジカル・フットプリント指標」『環境研究』第一五二号、一四—二四頁

和田喜彦(二〇一五)「マレーシアでのレアアース資源製錬過程による環境問題——エイジアンレアアース(ＡＲＥ)事件の現況とライナス社問題」『環境情報科学』第四三巻第四号、三二—三八頁

Cobb, John, Jr. (1999) *The Earthist Challenge to Economism: A Theological Critique of the World Bank*, Palgrave Macmillan

Global Footprint Network (2019) "National Footprint and Biocapacity Accounts, 2019 Edition"
https://www.footprintnetwork.org/licenses/public-data-package-free/ 閲覧二〇二〇年八月二八日

Tsuda, T., Tokinobu, A., Yamamoto, E. & Suzuki, E. (2016) "Thyroid Cancer Detection by Ultrasound Amcng Residents Ages 18 Years and Younger in Fukushima, Japan: 2011 to 2014", *Epidemiology*, 27(3), 316–322
doi:10.1097/EDE.0000000000000385 二〇二〇年七月三〇日閲覧

第10章　ＡＩにまつわる問題

廣安知之

人工知能(Artificial Intelligence, AI)とは、ヒトの知能そのものをもつ人工物、もしくはヒトが知能を使って行う処理を行う人工物のことを指す。現在、ディープラーニング(Deep Learning, DL)の登場に端を発する第三次ＡＩブームの最中にある(廣安 二〇一八、一五一―一六〇頁)。

ＤＬはニューラルネットワークの一種で新しい概念ではないが、二〇一二年トロント大学のグループが、最も難易度の高い画像分類コンテストILSVRC2012(Large Scale Visual Recognition Challenge 2012)において使用し、これまでとは比較にならない分類精度をあげたことで注目を集めた。その後、ＤＬは急速に改良され、たとえば二〇一六年にはDeepMind社が開発したコンピュータ囲碁プログラム(アルファ碁)が、世界チャンピオンに勝利した。その他にもＤＬは、自動運転分野、医療・医用分野、産業オートメーション分野においても大きな成果をあげている。

しかしながらＤＬは、新しい技術ではなく、それまで長く改良が続けられていた人工ニューラルネットワークの一つである。そのため、ＤＬの驚異的な成功は、まったく予想外のものであった(Plebe & Grasso 2019)。このブームは多くの分野で成果をあげてきているため、もうしばらく続きそうである。それに伴い、ＡＩは少しずつ社会に浸透し、社会を変革しつつある。また、ヒトのＡＩに対するとらえ方も変化しているように感じられる。本章では第三次ＡＩブームにおいて、ＡＩが与えた社会の影響やヒトのＡＩのとらえ方について検討する。

一　機械学習とDeep Learning

ＡＩに関連する技術は幅広い。ＤＬは、第三次ＡＩブームの重要な技術の一つであるが、ＡＩに関連する技術の一つにすぎない。そのほかにも、遺伝的アルゴリズムをはじめとする最適化、各種のデータマイニング、機械学習以外の知能システムや画像認識、音声認識、ヒューマンインタフェースやロボットなど、ＡＩに関連する技術は幅広い。

ＤＬは機械学習の手法の一つである。説明のため、コンピュータを利用した多くのデータの自動分類を考えよう。データの分類問題は他分野にも適用可能である。たとえば、画像データから、イヌやネコ、ヒトが写っているデータを分類したり、ＣＴ(コンピュータ断層撮影法)やＭＲＩ(磁気共鳴映像法)で撮影した医用画像から病変部位を特定したり、音声データから単語を抽出したりするような問題がそれにあたる。データは一般に、複数の属性をもち、カテゴリに該当するラベルが付される。

識別問題の例題の一つにアヤメの分類問題がある。一五〇のデータは、アヤメの三種類のいずれかのデータであり、これがラベルである。各データは、がく片の長さ、がく片の幅、花びらの長さ、花びらの幅の四つの属性をもつ。この属性値から、ラベルを特定する。

この機械が学習器であり、いったん学習器ができるとラベルのないデータに対しても、属性値を学習器に代入することでラベルを推定することができる。

これからわかるように、この学習器には構築と利用という二つの側面がある。構築の際のポイントは、属性とラベルをもつデータのセットから、ラベルを推定するためのモデルの構築方法と推定方法を、アルゴリズムという形でコンピュータにプログラミングし実行することにある。各問題(たとえばアヤメの問題)を明示的にプログラミングすることなく、コンピュータに学ぶ能力を設定するのである。これにより、データを変更することで、たとえば乳癌の問題など、ほかの問題にもアルゴリズムを変更することなく学習器を生成することが可能である。

学習の際に、属性とラベルのデータセットを必要とする方法は、教師あり機械学習と呼ばれる。DLは、教師あり機械学習の一つであり、この説明の中でのアルゴリズムがそれにあたる。ただし、DLにも多くの種類があり、多くのアルゴリズムが存在する。利用の際のポイントは、問題ごとに生成された学習器を利用することである。異なる問題に同一の学習器を利用することは、基本的にはできない。

DLのアルゴリズムは、人工ニューラルネットワークを基礎としている。人工ニューラルネットワークにおけるニューロンを多量に用意し、多数の学習用データを利用することで、精度の高い学習器の構築を可能としている。これは、インターネットをはじめとするネットワークの利用が促進され多量なデータを取得できるようになったこと、および計算機性能が向上しDLが必要とする膨大な計算量に耐えられるようになったことと密接な関係がある。また、これまでの、機械学習アルゴリズムでは、データの属性をよく考えて、学習器のモデルを構築する際のモデル空間をうまく設計しなければ高い精度は達成されなかった。それに対してDLは、データの属性値を入力するだけで、モデル空間の設計も最適化される点が、このアルゴリズムが成功したポイントの一つである。これまでヒトが経験や勘から選択していた重要な特徴量、もしくはその組み合わせを、DLは自動的に抽出するようになったのである。一方で、用意されたニューロンは多数であり、その関係は複雑であるので、最適化されたモデルの空間がなぜ選択されたのか、モデルの空間はどのような意味をもつのかは、通常、ヒトが理解することはできない。

二　科学技術の利用と良心

人類の歴史上、社会を大きく変えてきた要因は、戦争と感染症である。マイクロソフトの創業者の一人のビル・ゲイツは二〇一五年の動画の無料配信プロジェクト"TED Talk"において、感染症の脅威について述べている。これまでの人類の脅威は核戦争だったが、次に大量にヒトが死亡するならば感染症の可能性が高いと述べ、ワクチンや診断の分野での研究開発の必要性をあげて、緊急に対策を取り組む必要があることを説明したのである。ユヴァル・ノア・ハラリは、ＡＩを利用したデータサイエンスにより戦争や感染症のリスクは下がってきていると述べている（ハラリ 二〇一八）。たとえば、薬の候補となる化合物を、ＡＩ技術を利用したタンパク質立体構造のシミュレーションによりしぼり込むことで、創薬の開発がより加速すると期待される。しかしながら、新しい感染症に対して、すぐに治療薬を開発することが難しいのが現状である。

二〇二〇年には、新型コロナウイルス感染症（ＣＯＶＩＤ－19）が世界的に蔓延し、パンデミックとなった。わたしたち科学技術者は、少しでも社会に役に立ちたいという気持ちを常にもっている。この感染症拡大下ではなおさらである。たとえば、国の自粛要請が出されたときに、その一つの根拠として、人の接触を八割削減しなければ四〇万人が死亡するという科学的根拠が提出された。これは、ＳＩＲモデルという感染症の短期的な流行過程をシミュレートする古典的なモデルを利用したものであった。シミュレーションは、多くの仮定の下に構築されるものであり、同時に多くのパラメータも有する。仮定とパラメータ値が妥当なものでなければ、正確なシミュレーションを行うことはできない。ＣＯＶＩＤ－19は文字通り新しい感染症であり、得られているデータ数が少ないうえに感染のメカニズムも定かではない。多くの未知の要因が存在していた。しかしながらなぜ、このような状況でシミュレーションを行いその結果を全国的に利用したのであろうか。これらのシミュレーションを実施した先生方は決して世間を混乱させ人びとを困らせようとしたわけではなく、人びとをなんとか救いたいという良心に起因した行動であったのだろう。

行動の起因となる良心を考えよう。心理学者のスタノヴィッチとウェストは、思考には速い思考と遅い思考の二つのモードがあり、それらをそれぞれ「システム１」「システム２」と呼んだ(Stanovich & West 2000)。本書第6章における「情動的共感」と「認知的共感」はそれぞれ、システム１および２に対応するものであるといえよう。

システム１は情動と連動し、直感的で速い思考モードである。システム２は論理的で遅い思考モードであり、論理的、統計的な思考はこのモードで行う。良心に基づく行動もこれら二つのモードが存在するであろう。良心(システム１)は、直面する問題に対応しようとする動機となる。良心(システム１)に起因する行動は直観的であり、迅速にものごとに対応できる。一方で、論理的に多くのことを検討して問題に対応しようとする動機が必要な場合もあろう。すなわち、良心(システム２)は、論理的に多くのことを検討して問題に対応しようとする動機となり、「熟考しようとする良心」である。良心(システム２)に起因する行動は、時間を要する。わたしたちは、行動の動機づけとして、良心がその一つとなるべきなのは確かであろうが、良心(システム１)だけでは不十分である。科学技術を道具としてうまく利用し、そこから得られる結果をもとに思考するためには、さらに良心(システム２)を起動させ、行動することが必要であるからである。ＡＩを設計・構築する際および利用する際にも良心(システム１)および良心(システム２)は影響をおよぼし結果が異なる。

三　AIが社会に与える影響

AIの成果

ＤＬを利用することで、学習器を生成し、その学習器を利用することで、ＡＩは大きな成果をあげた。とくに、当初ＤＬで成果をあげた画像認識の分野では広く応用されている。ＡＩを利用した顔画像認識、医療画像における病変部位認識、インフラにおける欠損認識、農業における農産物の質の判定など、成果は幅広い。画像認識の技術は、自動車の自動運転の際に大いに効果を発揮する。自動運転を行うためには、自動車が周辺の物体を認識し、運行の状態などを自動的に把握する必要があるからである。

同様の技術は、音声認識に対しても効果を発揮している。個別の個人の特定や、会話内容の推測が可能である。また、ＡＩを利用した将棋プログラム、囲碁プログラムはすでに、世界トップ棋士を凌駕している。そこでは、画像処理技術と既存の棋譜の利用、ＡＩ同士の活用による学習の技術が貢献している。さらに、芸術家の作風を学習し、新しい作品を構築することもＡＩにより行うことができる。たとえばゴッホなどの作風を学習し、ゴッホの新作絵画を創作するアプリも提案されている。日本においては、二〇一九年の第七〇回ＮＨＫ紅白歌合戦において、美空ひばりの歌唱方法や動作を学習し、ＡＩが新曲を歌うという企画が行われた。動作には多少違和感はあったものの、歌唱は本人に類似していた。また、手塚治虫の作品を学習し、新しい作品を創作するという試みも行われ、シナリオや登場人物などがＡＩによって作成された。成果に対して賞賛が得られた一方で、死者による創作については、違和感や拒否感をもつ人もおり議論を呼んでいる。

AIが構築する学習器の公平性

ＤＬは教師あり機械学習の一つであるため、テストデータを利用して学習アルゴリズムにより学習器が生成される。そこで問題になるのは、使用するテストデータと学習アルゴリズムである。構築される学習器は使用するテストデータに大きく影響されるからである。また、学習器構築の際に生成されたモデルは、通常、ヒトが理解することはできず、説明可能なＡＩではない。そのため、データとアルゴリズムの二つの面で得られる学習器になんらかのバイアスが生じ使用の際に公平性を失う可能性がある。

たとえば、医用分野において、医用画像から癌などの疾患を識別する学習器を生成することを考えてみよう。構築された学習器を利用して、癌を切除するなどの施術を行う場合、学習器は高い精度を必要とする。この場合、学習器を構築する際に使用したテストデータに対しては精度が高いが、実際の現場での利用は難しい場合がある。それは、テストデータが偏っている場合、もしくは、間違っている場合である。このケースでは、非常に精度が高く癌部をラベルしたデータが多量に必要となる。しかしながら、優秀な医者は通常業務が忙しくラベル作成に協力できない場合が多い。

顔認識についても同様である。コンピュータ関連会社のＩＢＭは、顔認識ＡＩビジネスからの撤退を表明し、インターネット通販サイトを運営するアマゾンも、警察が使用する同社の顔認識ＡＩシステムの提供を停止すると発表した。そこには、性別や肌の色でバイアスが存在すると認められたからである(Hardesty 2018)。

山本は、バーチャル・スラムを生み出すシナリオを紹介している(山本 二〇一七)。そこでは、ＡＩのスコアリングによって低評価を受けた人が社会的に排除されてしまう可能性があることを示唆している。二〇一九年には、就職情報サイト「リクナビ」が、学生の了解をとらずに「内定辞退率」を算出し、企業に販売していた問題が発覚した。山本の危惧する社会がそこまできている。データに偏りがあり、アルゴリズムの生成するモデル空間がなんらかの理由でゆがんでいる可能性もあるが、通常利用されているデータとアルゴリズムは非公開であり、構築されたモデル空間も説明可能ではない。

これを受けて、ＡＩ公平性に対する社会的責任が活発に行われている。二〇一七年に制定された人工知能学会倫理指針でも公平・平等が言及されている。二〇一九年に発表された報告書"IEEE, Ethically Aligned Design"においても倫理的な意味の中に社会的な公平性が含まれることが明示されている。二〇一九年に内閣府が示した「人間中心のＡＩ社会原則」においても人間中心のＡＩ社会原則の項目の中で公平性、説明責任および透明性の原則を盛り込んでいる。

このように公平性は重要視されているが、問題はそう簡単ではない。良心(システム1)に起因する動機でサービス提供が行われる場合、ＤＬの構築するモデル空間が説明可能でないため、簡単には公平性が破られていることがわからない。さらに次節で述べるＡＩが複雑に社会に入り込むことで全体的な公平性を確認することは難しいからである。良心(システム2)を起動させ慎重な行動を実践することが求められる。人工物の構築やサービスの提供の動機が良心(システム1)に起因するだけでは、人工物やサービスが最終的に問題を生じる可能性があり、このような人工物の構築やサービスの提供は無邪気な行動に過ぎない。

AIネットワーク、AIが社会に組み込まれる弊害の可能性

ＡＩは多くの分野で成果をあげているが、その成果は「圧倒的な知能を人工物」があげていると考えるのではなく、「人間の知能を圧倒的に拡張する技術」が成果をあげているととらえることもできる。この技術は、「知能拡張技術」(Intelligence Amplifier, IA)である。また、ＡＩはヒトや社会と独立して存在するものと考

える場合が多いが、実は、ヒトに技術が組み込まれ、もしくは、社会の中に技術が複雑に組み込まれているのが現実である。

堀は、ヒトや外界、および外界中の存在同士の間にさまざまな人工的プロセスが埋め込まれることにより構成される新しい知能世界を紹介している(堀 二〇一八)。この世界観は、スマホを利用しているわたしたちの現代社会を考えると理解しやすい。スマホは、ＩＡが組み込まれたデバイスであり、そのデバイスを介してヒトとヒトはコミュニケーションを行う。たとえば、互いに面識のないユーザと宅配業者はＬＩＮＥを通じてコミュニケーションを行っている。画像処理を行った写真を利用したコミュニケーションツールのInstagram も同様である。

四　次世代のＡＩ

現在のＡＩブームは第三次である。すなわち、それ以前に二回のブームが存在した。各ブームにおいて大きな期待が生じ、個々の問題を解決するだけの「弱いＡＩ」ではなく、ヒトが行うような多くの課題に対応できる「強いＡＩ」(廣安 二〇一八、一五一―一六〇頁)もしくは、Super Intelligence をもつＡＩの出現が予想された。しかしながら、いずれも大きな技術的な障害によりその期待は裏切られ、そのようなＡＩは出現しなかった。今回のブームにおいてもＡＩの活用はますます拡がるであろうが、「強いＡＩ」に至るまでにはいかないであろう。一方でそれは、そのブームの際に注目を集めた技術が広く認知され利用されるようになったことを示しており、かつ、困難な課題の克服への準備段階がはじまったともいえる。

第三次ＡＩブームの基盤となる技術はＤＬである。このＤＬの適用により多くの問題が解決され社会で広く利用されるようになった。また、その解決レベルは時にヒトの成果をはるかに凌駕し、かつ、その仕組み上、ヒトに対する説明は可能でない。そのため、ヒトは次第にＡＩに対して、生命を感じるようになってきたものと思われる。新聞をはじめマスメディアでは、「人工知能」ではなく「ＡＩ」という用語が使われ、かつ主語として登場することが多くなった。「ＡＩが問題を解決する」という具合である。本来、問題を解決したのはＡＩを活用したヒトである。

今後のＡＩの発展においては、バイオサイエンスの発展とリンクして、ますます生命を感じる傾向は強まると思われる。しかしながらＡＩは人工物であり、ヒトが設計するものである。そのため、人間がつくり出した人工物に「こころ」は生じるのかという問いをさらに踏み込んで「よいこころ」は生じるのか、「よいこころ」をもたせられるのか、という問いをもつ人も増えるであろう。それは、能力が非常に高いＡＩの出現で、ＡＩを使う側になるのか、ＡＩに使われる側になるのかという問題が発生することで、自律した存在となったＡＩにコントロールされてしまうのではないかという恐怖心につながる。そして、ＡＩという人工物に対して、人間に都合のよい条件を受け入れる「良心」をもつことをヒトは要求するからである。これがヒトのエゴであるとするならば、究極的には「自由意志」をもつ強いＡＩの設計が必要である。

まとめ

- 第三次ＡＩブームの基盤技術は Deep Learning である。
- 現在のＡＩにおいては、データや構築されたアルゴリズムにより公平性が失われるという可能性があり、単体のＡＩでは問題のない技術・システムであったとしてもヒトと社会とが連携し複雑なシステムとなったときに、問題が生じる場合がある。

- その問題に対応するために、良心（システム１）に基づくＡＩ開発だけでなく、良心（システム２）を起動させ、そのサービスがヒトと社会に入り込んだ際の複雑システムになった際の功罪について検討することも必要である。そうでなければ、良心（システム１）は単なる「無邪気な良心」となってしまう。

参考文献

廣安知之（二〇一八）「良心学とは何か」同志社大学良心学研究センター編『良心学入門』岩波書店

堀浩一（二〇一八）「人工知能として認識されない人工知能の埋め込まれる社会に向けて」『情報通信政策研究』第二巻第一号、一一―一九頁

山本龍彦（二〇一七）『おそろしいビッグデータ――超類型化ＡＩ社会のリスク』朝日新聞出版

ユヴァル・ノア・ハラリ（二〇一八）『ホモ・デウス――テクノロジーとサピエンスの未来（上）』柴田裕之訳、河出書房新社

Hardesty, L. (2018) "Study finds gender and skin-type bias in commercial atificial-intelligence systems", *Retrieved April*, 3, 2019

Plebe, A., and G. Grasso (2019) "The unbearable shallow understanding of deep learning", *Minds and Machines*,29(4), 515–553

Stanovich, K. E., and R. F. West (2000) "Individual differences in reasoning: Implications for the rationality debate?" *The Behavioral and Brain Sciences*, 23(5), 645–665, discussion 665–726

Ⅳ　現代科学における良心

第11章　優生思想から脳とゲノムの多様性へ

貫名信行

「私は障害者総勢四七〇名を抹殺することができます。（略）私の目標は重複障害者の方が家庭内での生活、および社会的活動がきわめて困難な場合、保護者の同意を得て安楽死できる世界です。重複障害者に対する命のあり方は未だに答えが見つかっていない所だと考えました。障害者は不幸を作ることしかできません。（略）私が人類の為にできることを真剣に考えた答えでございます」（朝日新聞取材班 二〇一七）。この異様な声明は二〇一六年七月二六日、神奈川県の障がい者施設・津久井やまゆり園で一九名の障がい者を殺害した相模原障害者殺傷事件の実行犯・元当該施設職員の植松聖が犯行前に当時の衆議院議長大島理森宛に送った手紙の一部である。「ヒトラーの思想が降りてきた」と本人がいっていたことが報道されると、少なからぬ人にナチスの優生思想を思い起こさせた。

本章では、優生思想の発生・展開と、それに対抗する思想について論じる。

一　優生思想の展開

優生思想の誕生

優生学という言葉は進化論を唱えたダーウィンのいとこ、ゴールトンが『人間の知性とその発達』(一八八三年)において用いた。それは植物や家畜の育種を人間に適応させたように、人間の血統を改善する科学として唱えられた。ダーウィン自身は『種の起源』を一八五九年に発表して進化論を提唱したのち、『人間の由来』(一八七一年)では文明が弱者を生き延びさせて人間の質的劣化をもたらすことをおそれている。しかしながら、人間の互いに助け合ったり守り合ったりする社会的資質の重要性も指摘しており、単純な優生学の支持者ではなかった。

ゴールトン以後、ティレ『ダーウィンからニーチェまで』(一八九五年)、ヨスト『死の権利』(一八九五年)、ヘッケル『生命の不可思議』(一九〇四年)などによって、断種、殺害、安楽死の思想が展開されている(詳細は松田 二〇一八)。その後、これらの流れを総括するようにビンディングとホッヘが『生きるに値しない命の撲滅の解禁』(一九二〇年)を刊行する。ビンディングは法学者、ホッヘは精神科医であり、ナチスの障がい者安楽死作戦の基本思想が語られているといわれる。

ビンディングは、不治の病や瀕死の重傷を負った人の死の要請に応じて殺害することを解禁することが必要で、治療不能な知的障害者は家族と社会にとって負担であるので殺害による救済が行政の公的な義務となる、という。これらの論点について、ホッヘは医師の立場からコメントし、治癒不能な知的障害者について「このグループの生を存続させることは、社会にとっても、本人にとっても、いかなる価値もない」としている。このような優生学の思想展開は、ナチスが政権につく一九三三年より一〇年以上前に確立していたことに注意したい。また、ビンディングとホッヘの著書は、ドイツが敗北した第一次世界大戦直後に発表されたものであり、ドイツの経済的な破綻などの影響がその主張の背景にあると思われる。

米国での優生学の展開

優生学に関しては米国における展開も重要であり、実践的な面で大きな影響を与えている。第一回国際優生学学会は一九一二年にロンドンで開催され、ヨーロッパと米国から三〇〇人以上の参加があり、米国からはハーバード大学、スタンフォード大学の学長も出席した。この会議の目的として「人種を改良あるいは衰退させる要因に関する諸研究の結果をさらに広く知らしめ、現在の知識が法律制定へ向けた活動の正当な根拠になるか否かについて議論し、(略)現在の各協会・団体と研究者の協力体制を整えることにある」としている(キュール 一九九九)。

この時点で米国では「劣等な人びとの再生産を阻止するにはもっとも簡単な手段」である「断種法」(不妊手術)が、インディアナ州(一九〇七年)をはじめ多くの州で可決されていた。州によってその内容は若干異なるが、カリフォルニア州では性犯罪者と累犯者の断種から、次第に適応が改定・拡大され、精神障害者や同性愛者、梅毒患者にまで対象を拡げた。米国の場合、植民地時代から異人種間結婚を禁止する法律が各州で成立していたこと、また遺伝性の疾病をもつ人びとと、非北方系諸国の移民を締め出すことを目的とした北米移民法(一九二四年)の存在など、優生思想と人種差別とを結びつける背景があったことは注目すべき点である。この点はその後、ナチスからも注目されることとなる。また、米国では国としてよりもロックフェラー財団など、民間財団が優生学を支持する活動を行っていたことも注意すべき点であろう(キュール 一九九九)。

二　T4作戦とホロコースト

断種法からＴ４作戦へ

ナチスがアウシュヴィッツをはじめとする強制収容所においてユダヤ人虐殺を行ったことはよく知られている。一方、このユダヤ人虐殺(ホロコースト)の技術は、それ以前に行われた障がい者虐殺において準備されていたといわれる。ナチスが政権をとった一九三三年、遺伝性疾患子孫予防法(断種法)が定められた。断種法では先天性知的障害、精神分裂病(統合失調症)、躁鬱(そううつ)病(双極性障害)、遺伝性てんかん、遺伝性舞踏病(ハンチントン病)、遺伝性全盲、遺伝性聾唖(ろうあ)、重度の遺伝性身体奇形、中度ないし重度のアルコール依存症が対象であり、これらの疾患をもつ患者には子どもをつくらせない断種手術が強制された。この法律の背景にあるのが優生思想である。すなわちドイツ民族の「優秀」性を保持するために、国家が生殖に積極的に関与して、劣る遺伝子を除去していくための法律がこの断種法であった。

この延長線上にさらに凶暴化したのがＴ４作戦である。「Ｔ４」は作戦本部が置かれたベルリン、ティアガルテン(動物園)通り四番地からきている。Ｔ４作戦の命令書は一九三九年九月一日、第二次世界大戦の開戦日に合わせてヒトラーから秘密裏に発令された。断種法は前述の患者に対して不妊手術を行うものであったが、Ｔ４作戦では精神病者や遺伝病者のほか、労働能力の欠如、夜尿症、脱走や反抗、不潔、同性愛者などに対象を拡げ、「安楽死」を可能とするものであった。これらの対象者は専門の「安楽死」施設に移送され、ガス室などで殺害されたが、その過程で殺害方法が洗練されていった。「安楽死」の対象者リストは精神科医を含む作戦本部で作成され、一九四〇年一月から一九四一年八月にかけて七万人あまりの犠牲者を出したとされている。この作戦を知った法務省は立法化を要求したが、ヒトラーが法制化には否定的だということで、法制化はなされなかった。

しかし一般には知られないまま行われたこの作戦は、ミュンスターの司教フォン・ガーレンによって告発され、ヒトラーは中止命令を出している。フォン・ガーレンの批判は「非生産的な市民を殺してもいいとするならば、いま弱者として標的にされている精神病者だけでなく、非生産的な人、病人、傷病兵、仕事で体が不自由になった人すべて、老いて弱ったときのわたしたちすべてを殺すことが許されるだろう」というものだったという。一九四一年八月以降、表向きの「安楽死」中止命令は出たが、実際は現場のシステムがすでに自動化しており、「野生化」した「安楽死」が継続され、その犠牲者は一三万人以上になったといわれる(藤井 二〇一八)。一方、ユダヤ人の大量虐殺が一九四一年一〇月頃から行われ、絶滅収容所での虐殺にT4作戦の経験が利用されたといわれている。ユダヤ人虐殺は、劣る人種のユダヤ人によって血が汚されることからドイツ人の人種の純血を守る、という優生学的発想が背景にあることはいうまでもない。ユダヤ人の犠牲者は六〇〇万人以上にのぼった。

優生学から人類遺伝学へ

ドイツの敗戦によってこのような「安楽死」作戦、ユダヤ人虐殺といった暴虐が明るみに出て、それに関わった人の一部が責任を問われることになるが、T4作戦の指導的立場にあったブラントは法廷に先立って、「生きる価値のない人間」を断種・排除するナチの計画は米国の見解と経験を基盤としたものだったと主張し、米国の優生学や断種法について言及した。また、優生学の研究者や精神医学者でT4作戦の対象者決定に関わっていたものも直接責任を問われることなく、戦後国際社会に復帰していくことになる。

優生学は、学問領域としては存続しにくい状況になったが、人類遺伝学などとして存続していくことになる(ミュラー＝ヒル 一九九三)。ドイツの精神医学会もT4作戦への関与について議論することはなく、多くの当事者が亡くなった二〇一〇年になって、ドイツ精神医学精神療法神経学会が「ナチス時代の精神医学

──回想と責任」という特別談話を発表し、反省と謝罪を明らかにした。

三　日本の優生保護法と野生化する優生思想

優生保護法

日本は優生学をどのように受け入れたのであろうか。国民優生法が戦時中の一九四〇年に制定されたが、当時の国策から中絶禁止を目的としたものとなった。戦後まだ米国の占領下にあって、日本の医師を中心とする議員によって優生保護法が提案され、一九四八年に発令された。「優生上の見地から不良な子孫の出生を防止するとともに、母性の生命健康を保護することを目的」とする本法は優生手術(不妊手術)と人工妊娠中絶を可能とする条件を規定している。優生手術の対象として、遺伝性精神病(統合失調症、躁鬱病、てんかんを含む)、遺伝性精神病質、性欲異常、犯罪傾向などもあげられていることから、反社会性と判断すれば対象となる。同様に対象とされた遺伝性身体疾患には神経疾患や内科疾患が含まれる。さらに感染症であるハンセン病が加えられたことに驚く。

強制断種手術を戦後も続けていたスウェーデン、米国各州も、一九七〇年代には行わなくなった。にもかかわらず、学生運動の激しかった一九七〇年代を超えて一九九六年まで日本で優生保護法が存続したことは、対象とされた疾患に対する差別、偏見、排除の思想が根深かったことを示唆している。一九九六年、優生保護法から「不良な子孫の出生防止に関わる条項」を除いた母体保護法が制定された。現在、当時本人同意のない状態で強制不妊手術を受けさせられた被害者の国家賠償請求訴訟が行われている(毎日新聞取材班 二〇一九)。

現在では、世界的に優生思想に基づく行為(ここでは優生行為と呼ぶ)が公然と行われることはなくなっている。しかし、ナチスでさえ公然とは行わなかったように、情報公開が十分でない、民主主義の確立されていない国において優生学的な政策がとられていないかどうかはわからない。世界保健機関（ＷＨＯ）は、「性と生殖に関する健康と権利」として自分の身体に関することを自分自身で決められる権利、リプロダクティブ・ライツを提唱している。これは一つの国家による優生政策に対する対抗思想だろう。

生殖医療の発展による命の選択

しかし、生殖医療の発展は出生前診断によって命の選択を可能にした。今では染色体異常を妊娠中に診断し、個人ないしカップルが、産むか産まないかを決めることができる。以前であれば、羊水穿刺(せんし)などで母体や胎児に侵襲を与える可能性があったが、現在では血液で安全に診断が可能になっている(新型出生前診断)。診断によって親が産まない選択をすれば、これは個人レベルの優生行為ではないか。それどころか、今や多く行われるようになった体外受精で発生した細胞が分裂し、胚を形成するときに、細胞の一つを取り出し遺伝子診断を行うことが可能になっている(着床前診断)。染色体異常に伴う習慣流産を避けることなどに有効で、日本では産科婦人科学会の自主ルールのもと行われている。

しかし、遺伝子診断自体は商業レベルで行われているので、学会ルールに従わず、遺伝子異常のない胚を着床させるということが行われる(行われている)可能性は否定できない。これは優生行為ではないか。ナチス政権下でＴ４作戦が公的に中止された後も継続されていた「安楽死」が「野生化した安楽死」なら、学会のガイドラインなどにコントロールされない個人レベルの「野生化した」優生行為が行われようとしているのではないか。

四　対抗思想としてのダイバーシティの思想

このように、優生思想や優生行為は生殖医療やゲノム科学の進歩とともに「野生化」して、制御されなくなる可能性がある。そこで科学的な意味で優生思想に対する対抗思想の構築が可能かどうかを考えてみたい。

神経疾患・精神疾患と優生思想

まず、旧優生保護法が対象としている神経疾患について考えてみよう。優生保護法では別表として顕著な遺伝性身体疾患としてハンチントン病、遺伝性脊髄性運動失調症、遺伝性小脳性運動失調症などをあげていた。これらの疾患では近年、多くはその原因遺伝子が明らかになり、その病態を制御することで治療を目指そうという研究が行われている。しかし、前述のように体外受精を行い、着床前診断が可能となっている現在、技術的にはその遺伝子異常のない胚を着床させることも可能である。さらに現在では、遺伝子異常のある部位を正確に正常化することも可能になりつつある。この場合、後者は治療だろうか。前者は優生行為であろうか。

旧優生保護法やT４作戦の対象となった精神疾患や精神薄弱(精神発達遅滞)などはどうであろう。精神疾患自体が遺伝であるかどうかについては議論がある。現在、てんかんの一部にははっきりした遺伝子異常の存在するものもあるが、統合失調症や躁鬱病は精神科領域の主要な疾患であるが、その病態の中核が確実にわかっているわけではなく、わずかに限られた家系でこれらの疾患に関連する遺伝子異常が認められるのみである。この点では上記の精神疾患に将来予想される遺伝的「排除」の論理が正当化される科学的根拠もない。

旧優生保護法の時代には、疾患概念が確立していなかった自閉症、発達障害などはどうであろうか。一部の自閉症に遺伝子変異が認められることは確認されている。自閉症は「社会的コミュニケーションおよび対人的相互反応における持続的欠陥」を中核とする症候群(自閉症スペクトラム)といえるが、コミュニケーションについては最近、ソーシャルネットワーク下で自閉症スペクトラムの患者同士が交流していることが知られている。その過程で「人間の脳神経の構造には多様性があるというコンセンサスを踏まえたうえで、自閉症的な人びとを一つの個性として尊重すべき」という主張が出てきた。ニューロ・ダイバーシティ(脳の多様性)の考え方だ(池上二〇一七、二〇一九)。

確かに、いわゆる「健常者」がニューロティピカル(神経回路の定型発達者)で、自閉症者はニューロエイティピカル(神経回路の非定型発達者)と考えれば、自閉症スペクトラムの人にとってこれまでの社会が彼らの情報処理にとって不都合であったが、コンピューターなどのツールが出てくることにより、改善されてきたのかもしれない。そしてむしろ、それによって、彼らの得意な能力を発揮できるようになる可能性がある。とすれば、これまで彼らを「自閉症」として、治療対象にしてきたことがよかったのか、むしろ彼らが不得意な点を補って、得意な点を発揮できるようになればよいのではないか。マイノリティーがマジョリティーに合わせるのではなく、マイノリティーとして生きていけることが必要ではないか。このようなわたしたちの社会が多様な能力(個性)の構成員からなっているという考え方は、優生思想、優生行為への対抗思想となり得ないか。

ゲノム・ダイバーシティによる可能性

優生思想は進化論の枠組みを背景に登場した。しかし、進化論は本当に、優生思想を支持するものであろうか。自然淘汰を進化の推進力とすれば、それを人為的に制御しようというのが優生思想であろう。制御の方向は現状の安定化であり、現在の支配―被支配の構造を脅かすものを排除し、構造を安定化するものを促進しようというものになっている。この点ではきわめて保守的である。

進化論自体の展開を考えるとき、中立進化論はそのパラダイムを大きく転換している(斎藤 二〇〇九)。中立進化論は、多くの進化(この場合、遺伝の実体を担う遺伝子の変異)は淘汰にさらされるものだけでは決してなく、中立的なものであるという説であり、木村資生(もとお)によって提唱された。たとえばヒトはほかの動物がもつビタミンCの合成に関わる酵素の活性を失っているが、食物から得られるためにその遺伝子変異は淘汰されず、中立進化である。このことは、環境を含む周囲の状況によって遺伝子変異は淘汰に対して中立になりうるということを示す。

わたしたちの社会全体としての進歩によって、自閉症スペクトラムの人がその不得手を克服し、隠れていた能力を発揮できるのであれば、自閉症が遺伝子変異の影響を大きく受けていたとしても、その遺伝子変異は中立となる。すなわち中立進化によるゲノム・ダイバーシティが、わたしたちの予期しない「進化」の基盤になる可能性が考えられる。それは方向性の決まった優生思想・行為よりも豊かな可能性を秘めているのではないだろうか。なお、木村自身は『生物進化を考える』において彼の進化遺伝学的世界観を論じており、これには優生学的な観点が入っているが、これはその時代的制約と考えたい。

五　新型コロナウイルスと優生学

二〇二〇年、新型コロナウイルスのパンデミックが起こり、わたしたちの日常生活は大きく一変した。分岐する線路に制御不能なトロッコが突入してきた。一方には一人の作業員がおり、他方には五人の作業員がいる。このとき、ポイントを制御して一人の方へトロッコを誘導するのは妥当かという「トロッコのジレンマ」という倫理上の仮想課題がある。医療崩壊を起こし人工呼吸器の数に制限をきたしたとき、医療従事者は現実に「トロッコのジレンマ」に直面し、ある年齢以上の高齢者には人工呼吸器をつけないという方針を決めたという。それは医療従事者個人に判断を押しつけるストレスを回避するための方針であろうが、こういった危機的状況で優生思想的な選択・排除の思想が出てきがちなことを本章で論じた。現場の危機を早めに察知し、それを回避することこそは政治の役割である。「トロッコのジレンマ」にポイントを中立にすることによって回避する(トロッコを脱線させる)という手もある。選択・排除の論理を超えた俯瞰する視点が求められる。この困難な時代にこそ思想と行動原理を深める良心が必要である。

まとめ 

- 優生思想の背景と展開を検討した。思想的にはもはや終わったものと思われがちだが、現実にはその思想を背景とした事件が起こっている。
- 生殖医療の発展に伴い「野生化した優生行為」が起こる可能性がある。
- 優生思想に対抗し、ニューロ・ダイバーシティや中立進化に基づくゲノム・ダイバーシティを基盤とした思想が構築できる。

参考文献

朝日新聞取材班(二〇一七)『妄信――相模原障害者殺傷事件』朝日新聞出版
池上英子(二〇一七)『ハイパーワールド――共感しあう自閉症アバターたち』NTT出版
池上英子(二〇一九)『自閉症という知性』NHK出版
木村資生(一九八八)『生物進化を考える』岩波書店
キュール、シュテファン(一九九九)『ナチ・コネクション――アメリカの優生学とナチ優生思想』麻生九美訳、明石書店
斎藤成也(二〇〇九)『自然淘汰論から中立進化論へ――進化学のパラダイム転換』NTT出版
藤井克徳(二〇一八)『わたしで最後にして――ナチスの障害者虐殺と優生思想』合同出版
毎日新聞取材班(二〇一九)『強制不妊――旧優生保護法を問う』毎日新聞出版
松田純(二〇一八)『安楽死・尊厳死の現在――最終段階の医療と自己決定』中央公論新社
ミュラー=ヒル、ベンノ(一九九三)『ホロコーストの科学――ナチの精神科医たち』南光進一郎訳、岩波書店

第12章 再生医療の課題から科学政策と社会を考える

中辻憲夫

二〇二〇年一月来の新型コロナウイルスの感染拡大と、それに対する科学者や医師など専門家の発言や対応は、科学者などが医療に関わる問題にどのように対応すべきかについて、多くの教訓を提供している。科学者は、個人の利害とは峻別した立場で、専門家としての役割と責任を考えるべきである。自分自身の専門分野がその問題に直接貢献できる場合でなくとも、様々な専門家の意見を理解し咀嚼して、自分の解釈や意見を発信できる。しかしその場合、国民全体に影響する医療危機は、医学や科学的な検討だけで済む問題ではなく、経済や政治と社会に深くかかわる複雑な問題であることを認識し、視野の狭い独断的な主張や断言は避けるべきである。

とくに社会から注目度の高い科学者や医師は、テレビなど一般市民への影響力の大きなメディアで断言的な強い発言を行うのは、慎重の上にも慎重であるべきだ。自分の専門性で社会に貢献できる範囲と限界と影響力を熟慮して、断言できる事実と未確定の推測を明確に区別して発信すべきである。もしも自己アピールや自分の利害を意識したり、自分の発言が政治やメディアに都合がよいように利用されてしまえば、自分自身だけでなく、科学者や医師や専門家全般に対する社会的信頼を損なうことになる。

一　新型コロナウイルス感染症の拡大と、科学者などの対応が露わにした問題点

二者択一的で極端な対立的議論は不毛、それらの間に最適解がある

二者択一的で極端な対立をあおる議論は不適切で不毛である。現実社会の多くの問題は、極論ではない中庸に最適解が存在する。今回の感染症の拡大についての一例としては、ＰＣＲ法による感染検査に関して、極端な不要論と拡大論の激しい議論が行われていることがある。「不要論」は、ＰＣＲ検査の不確実性を誇張して、検査拡大による医療崩壊の危険を唱え、「拡大論」には希望者全員や全国民に対する即時の検査を主張した場合もある。しかし、大事な論点は、まず、過去の感染症問題から必要性が指摘されていたのにＰＣＲ検査体制の準備が不十分だったことにある。そして、検査体制の速やかな拡大と保健所への過剰依存回避策などの改善の必要性、ＰＣＲ検査の検体採取方法・時期・回数などの検討による信頼性の改善方法、医療機関への負担を抑えながら陽性判定の軽症者や無症状者の隔離対応策の必要性を、当初から議論すべきだった。

ところが当初、政府や行政はＰＣＲ検査体制の準備不足を認めずに、検査拡大は必要ないと説明した。医師など専門家の一部も加わり、対症療法以外に有効な治療法がないことと、検査の信頼度の問題を強調して極端な検査不要論を展開するのに対し、一部の科学者とメディアが検査拡大を主張した。その結果、検査体制や一時隔離施設の整備、医療機関や養護・教育施設など検査拡大すべき優先順位など、最も必要な議論が後回しになった。そして二〇二〇年一〇月現在、検査実施体制は不十分な状態が続き、世界各国のなかでは極端に抑制・制限した状況のままで乗り切ろうとしている。

科学者と専門家にはメディアや政治との適切な距離感が必要

二者択一的な議論が単純化を伴って激化した原因には、科学者や医師が、専門的議論の場ではなく、テレビなどメディアの舞台に現れて、一部、慎重な言葉ではなく注目を競うようにも見える主張をしたことがある。これによって国民や行政を混乱させた。

ある専門分野では著名な科学者が別分野でも十分な広い見識をもつとは限らない。科学や医学だけでなく、政治や社会への影響にも配慮が必要な問題に関しては、多視点からの熟慮が不十分で断定的な意見を発信することは、世論や行政によい結果は生み出さない。限られた見識をもつにすぎないことを自覚して、他の専門家を加えた衆知を集めることが必要である。その意味で、科学者や医師や専門家、とくに注目度の高い立場にある人物の場合は、メディアや政治との適切な距離感を維持するべきである。メディアや政治に利用される科学者や専門家になる状況は避けるべきである。

多様な視点の衆知を集めた議論と躊躇ない見直しが必要

医療問題など、医学と科学に政治・経済や社会が複雑に関わる問題に対して最善の方策を生み出すためには、多様な視点と見識をもつ専門家の間で自由闊達な議論を行い、衆知を集めて選択肢や最適解を提案する必要がある。また状況が進行し変化するなかで、当初の判断が正しいとは限らない。現状を注視しながら既定方針を躊躇なく再検討し、説明責任を果たしながら見直す必要がある。

科学者や専門家は、各々の見識から誰にも忖度することなく意見を述べて議論すべきである。それを参考に、政治家や行政が責任を引き受けて政策判断して実施する。これらのプロセスを、国民に見える形で説明責任を果たし、透明性を確保して進めるべきである。

二　歴史的教訓としての再生医療と科学政策

二者択一的で極端な対立的議論は不毛、それらの間に最適解がある——再生医療の場合

再生医療の場合にも、今回の新型コロナ感染拡大で起きたのと同様な、科学者と専門家の対応の問題点が現れて、すでに中間総括の段階にある。二者択一の「一般人にわかりやすい」主張が、再生医療分野でも行われ流布されていた。極端な例は「ＥＳ細胞(胚性幹細胞)は倫理的に×で、ｉＰＳ細胞(人工多能性幹細胞)は倫理的に◎」という単純化である。本来、両者は同じ多能性幹細胞であり、両者を用いて研究と応用を進展させ、目的に応じて使い分けるべき「一つの」研究分野である。ところが、ＥＳ細胞の生命倫理問題を誇張しながらＥＳ細胞とｉＰＳ細胞の対立を煽って分断し、ｉＰＳ細胞だけに政策的支援を集中する、という誤りを日本は犯した。

この分断現象の具体的内容については拙著(中辻 二〇一五)とシンポジウム公開録画(同志社大学良心学センター 二〇一九)の詳しい解説に譲るが、この分断は日本に特異的な歪みを生み出した。その結果、日本における両者の研究の発展を阻害したことは、すでに複数の調査分析で明らかになっている(『日本経済新聞』二〇一七、Guhr et al. 2018)。

科学者と専門家にはメディアや政治との適切な距離感が必要——再生医療の場合

日本の再生医療分野、とくにｉＰＳ細胞によるものは、一〇年以上もの間、社会から大きな注目を浴びて

きた。その間に、新聞やテレビなどメディアだけでなく研究者も含めて、過剰に楽観的で壮大な可能性を流布した結果、国民の間に「どんな病気も治せる」「臓器の取り換え可能に」「全員が長寿で健康に」などの言葉が象徴するような、夢の治療法としての期待を煽ってきた。しかし、一〇年の時を経て実状が明らかになり、最近ようやく、画期的治療はすぐには簡単には実用化しないこと、治療コストが高く贅沢医療になる可能性があること、などの現実が認識され、過剰な期待の反動で落胆の言葉も見られるようになった。

大きな原因には、一部の研究者により過剰に楽観的な言葉が発信され、それをメディアや行政や政治家が利用して、社会全体に過剰な期待を蔓延させたことがある。さらに残念なことに、iPS細胞の優位点をアピールするために、ES細胞の生命倫理問題をことさらに誇張する誤りを犯した。世界の科学者の間では、ES細胞とiPS細胞は「純正品と人工の多能性幹細胞」として、両方を使って比較検討しながら研究開発を進めるべきという考えが常識で共通認識である。ところが、これを無視して「日本で生まれたiPS細胞で世界の再生医療をリードする」などと、扇動的スローガンを多くの人が無批判にうたい上げる、科学史的にも特異な熱狂的状況を生み出してしまったのが二一世紀の初期の約一五年間となった。

単純化した主張と政策は失敗につながる。日本は再生医療、とくにiPS細胞の研究分野に対する過剰な「選択と集中」の予算配分を長年続けたが、世界の状況はまったく異なる。幹細胞治療ではES細胞(近年ではiPS細胞も追加して)や組織幹細胞を使った臨床試験が進んでいる。最近では遺伝子治療がより重視され、高コストで品質管理が困難な細胞を使わない治療法が注目されている。

多様な視点の衆知を集めた議論と躊躇ない見直しが必要——再生医療の場合

先端医療に対する国の科学政策は、多様な視点(生命科学、医学、臨床、医療保険制度、医療産業など)から総合的に検討する必要がある。もしも政府に近い少数研究者の視点だけで政策が立案されれば、その政策が現実社会では成功せず、無駄な努力と浪費に終わる可能性が高い。

健全な競争が優れた進歩を生み出す。どの考え方や方向性を選べば最終的に成功するかが不明な早期の段階で「選択と集中」を唱え、政府や科学行政が特定の分野や研究者集団に対して長期的に集中支援すれば、健全な競争を妨げて失敗のリスクは大きくなる。

医学と医療の研究開発と実用化の成功には、多くの専門分野の基礎研究および応用・開発研究と実用化・産業化など、多様な得意分野をもつ複数のセクターの協働と分担が不可欠である。重要なのは、大学等での研究は出発点であり、本当の医学応用と実用化に成功するためには、たとえば産業界が得意とする細胞生産等の品質管理とスケールアップ、安全性と信頼性の確保、生産と供給システムの整備、コストの抑制を含めた多くの視点からの分担と協働が必要ということである。

三　再生医療分野における政策の論点と科学者の責務

先端医療の研究開発に関する基本的考え方と判断基準

先端医療では、どんな場合も倫理問題や医療格差を完全になくすことは不可能である。問題を最小化しながら、医療の本来の目的である、安全で恩恵が大きく、コスト抑制によって多数の患者への恩恵を最大にできるような実用的医療を、どうすれば実現できるかを考えるべきである。再生医療に携わる、科学者や医学者が目指すべき方向と判断基準を次に示す。

(1)多数の患者が、平等で負担が小さく受けられる実用的な治療法。

(2)患者の治療に伴って起きる、患者以外の人のリスクや負担を最小にする。
(3)抽象的概念としての生命よりも、現実に生きて生活する人間の健康と福祉を重視する。
この(3)と(2)に関係して、ヒトES細胞株を長期的に利用する研究と医学応用について考えてみる。「子どもに育つ可能性がある受精卵を壊す」ことがES細胞の重大な倫理問題といわれるが、次に示すように、(政府指針に定められた手順を遵守することで)倫理問題に対処ができていて、医学研究と応用の方向性としては優れていると考える。
(1)広く実施されている不妊治療では、必然的に多数の余剰胚(廃棄される予定の受精卵)が生じる。そのなかから少数を一度だけ、患者の自由意思により提供を受けてES細胞株を樹立する。
(2)良質で安定なES細胞株が樹立できれば、その無限増殖能と凍結保存により、世界中で何十年(おそらく一〇〇年以上)も利用可能になる。つまり追加の余剰胚の提供は基本的には必要なくなる。

ES/iPS細胞をめぐる日本社会での誤解と単純化

右記のヒトES細胞による研究と医学応用の優れた点を理解せずに、日本国内では「倫理問題」を理由に厳しい研究規制を研究開始から約一〇年間の長期にわたって維持して研究の拡大を阻害した。とくに問題なのは、慎重な扱いが求められる余剰胚の提供とES細胞株樹立だけでなく、樹立後の無限増殖するES細胞株を使用する研究にまで厳密な手順を拡大した過剰規制である。さらにiPS細胞が出現したときにはES細胞の「倫理問題」の誇張を再燃させ、ES細胞は不要だとの日本だけにしか通用しない非科学的主張を、メディアや専門外の有識者だけでなく、医学生命科学者の一部も発信した。その結果、国内では、本来は同じ多能性幹細胞として一緒に研究開発するべきES細胞とiPS細胞が分断され、日本の多能性幹細胞分野全体に歪みと損害を与えた。

流布する誤解と偏見を次に列挙して正す。

(1)ES細胞の使用には、子どもになる予定の初期胚を(繰り返し)壊す必要がある。

実際には廃棄決定後の少数の余剰胚の一度の提供で十分であることはすでに述べた。

(2)ES細胞には免疫拒絶反応があるので再生医療に使えない。

免疫拒絶は対応可能な場合が多いことは、臓器移植治療が示している。米国などではES細胞を使った再生医療の治験が進み、拒絶反応を軽減する方法の研究開発が行われている。

(3)ヒトES細胞に世界の人びと、とくにキリスト教信者の大半が反対している。

強く反対しているのはカトリックなど一部の宗派だけである。ES細胞株の樹立に用いるような、着床前の胚盤胞までの初期胚に対する倫理的な判断は、着床後の胎児や新生児とはまったく違うとの考えが、世界の大多数の人びととの共通認識である(たとえば、Brown 2018)。

(4)iPS細胞とES細胞は性質がまったく同じ(体細胞の初期化は完全)。

iPS細胞株を樹立する体細胞から多能性幹細胞への初期化は不完全なので、分化した体細胞の特性(エピゲノム)の一部が残存して、iPS細胞株の性質の変動と不安定性につながり、移植用細胞の品質信頼性を低下させる。したがって、臨床応用と実用化に適した性質のiPS細胞株を多数樹立株から多大な労力を長期間投入して選び出す必要がある、あるいは、移植した細胞が想定通りに機能しないリスクも増える。なお、初期化方法の改良研究が世界では続行中であり、注目すべき発表も多い。

(5)iPS細胞とES細胞は競合関係にある(すなわち研究や技術・特許は個別のもの)。

細胞株樹立方法は違っても、培養方法、目的細胞への分化誘導方法、品質管理方法、移植方法など、すべての技術と特許は共通する。したがって、ES細胞を使って研究開発を先導してきた企業等は、iPS細胞を容易に追加できる。

(6)iPS細胞には倫理問題がない。たとえば、体細胞提供者のゲノムをもつ細胞を、研究や治療に利用するのだから、個人情報とプライバシー管理の問題がある。

(7)iPS細胞ができたのでES細胞の研究はもう不要だ。

この主張がiPS細胞誕生後に主流となったのは、世界でも日本だけに特異な現象である。このES／iPS細胞政策の非科学的な偏りの結果、政府による過剰な「選択と集中」が行われたが、巨額の集中投資と強力支援にもかかわらず国内のiPS細胞関連分野の成果は投資対効果が悪く、世界各国のなかで不満足な状況であることが明らかになっている(『日本経済新聞』二〇一七、Guhr et al. 2018)。

再生医療に関わる科学者や医学者など専門家が取るべき考え方

再生医療に関わる科学者や医学者など、専門家が取るべき考え方と注意点を次に列記する。

(1)倫理問題による規制は、問題の程度と具体的内容に対して適切に対応すべき。どの程度の倫理問題であるかを理解して、どの主要問題を回避しながら研究と応用を進めるのが適切かを考えるべき。学際的な専門家集団による継続的議論と政策策定が必要(たとえばイギリスでは生命倫理問題を審議する常設機関が存在するが、日本では、その都度ごとに招かれた少数委員による委員会に任せることを続けている)。

(2)観念論や抽象論と現実社会は異なるので、個人的信念と施行すべき政策は峻別すべき。生命倫理の問題では、生きている子どもや人間の人権や福祉が重要であり、観念的で哲学的な生命倫理を優先すべきではない。倫理に関して各人の考えは多様であり違っていて当然。個人的信念の部分と、それを他人や社会に対しても強制すべき部分かを区別する良識と節度が必要である。

(3)研究の本来の目的を忘れてはならない(科学者の利害と良心の問題に立ちもどる)。

多くの患者への実用的な医療を実現することが目的であり、特定の研究分野や研究者／研究組織の予算獲得や主導権獲得を優先すべきではない。本来の目的を実現するための最適な体制と政策を、行政と指導的研究者は考えるべき。とくに、競合相手とみなした周辺分野や代替的な研究分野への公的支援等の抑制を誘導、または看過することは、科学者としての良心と倫理に反する。

(4)メディアおよび政治に対する科学者のスタンス。

科学者や医学者は自分の専門知識に基づき、客観的で慎重な発言を、受け取る側の誤解や過剰反応を避けるよう配慮して行い、メディアや政治・行政とは、自制的で適切な距離感を維持すべきである。メディアや政治家の期待に忖度した発言は専門家の責務に反する。メディアの向こうにいるのが科学者を支える人たちであり、その人たちに対する責務を意識すべき。断定的な発言は注目され大衆受けするが、ミスリードや誤解を引き起こす。権力や予算権限に近い政治家や行政に対して、自分たちの研究への予算配分を期待した思惑の発言をする、あるいは必要な批判を控えるのは、誤った政策に対する道義的な責任を負うことにつながる。短期的には自分や周辺研究者の利益になっても、長期的には科学と科学者全体に対する国民の信頼を損ねる。

四　多様な専門家とセクターによる協働と自由な議論による見直し

多能性幹細胞の実用化に向けた課題

多能性幹細胞が大きな能力と可能性をもつとはいえ、単なる研究とは異なり、再生医療等への応用と実用化には、多くの段階での多種類の技術開発が必要になることはとくに強調する必要がある(中辻憲夫 二〇一五、八五頁)。すなわちｉＰＳ細胞などの基礎研究が、そのまま難病治療等の応用と実用化につながるわけではなく、その前に多様な専門家の努力によって乗り越えるべき課題が多い。

しかしこれまで、メディアや研究者から楽観的すぎる前のめりの発言が多く、あえて楽観論を戒める慎重な指摘は稀だった。対応すべき課題の一例として、多能性幹細胞株の長期間かつ無制限の細胞増殖が可能という優れた能力には、増殖中にゲノム変異やエピゲノム変異が自発的に起きて蓄積するリスクが伴う事が知られている(中辻 二〇一五、七五頁)。

再生医療の応用と真の実用化には何が必要か

再生医療など先端治療の成功と、多くの患者に恩恵を実現するには、大学等の研究では重視されないが、真の実用化には不可欠な課題も多い。基礎研究、応用研究と、実用化／産業化は大きく異なるステージであり、大学と企業など多様な得意分野をもつ複数セクター間の協働と分担が必要不可欠である。さらには状況変化と発展に応じた見直しと改善も求められる。

既存方針の見直しを躊躇したり、強引に継続したりすることは失敗につながる。研究開発の進捗や世界的な状況変化に応じた、政策や方針の見直しと改善が必要であり、そのためには、固定的な既得権益を生み出すようなトップダウン運営ではなく、自由闊達な議論が不可欠である。とくに治療法開発という患者や国民から期待される医学分野では、専門家の責務と良心に基づく、問題点の指摘や適切な批判が不可欠である。

まとめ

- 二者択一的な極端な議論は不毛であり両者の間に最適解が存在する。
- 科学者はメディアや政治とは適切な距離感を保つべきである。
- 多様な専門家による衆知を集めた議論による方針決定と躊躇ない見直しと改善が必要である。
- 与えられた現実の中で、最大限努力して科学や社会に役立つ結果を出すよう努力することと、現実に存在する問題点と誤りを指摘して改善を主張することは、片方を選択するのではなく、両者を並行して行うのが、科学者や専門家が果たすべき責務と良心であり、前者だけでは不十分である。

参考文献

中辻憲夫(二〇一五)『幹細胞と再生医療』丸善出版サイエンス・パレット

中辻憲夫(二〇一九)「生命科学と良心――再生医療をめぐる現状と課題」同志社大学良心学研究センター・公開シンポジウム
http://ryoshin.doshisha.ac.jp/jp/activity/20191105/

日本経済新聞(二〇一七)「iPS発祥の日本、再生医療で存在感薄く」(二〇一七年一二月四日)

Guhr, A., Kobold, S., Seltmann, S., Wulczyn, A., Kurtz, A. & Löser, P. (2018) "Recent trends in research with human pluripotent stem cells: Impact of research and use of cell lines in experimental research and clinical trials", *Stem Cell Reports*, 11, 485–496

Brown, M. (2018) "The moral status of the human embryo", *Journal of Medicine and Philosophy*, 43, 132–158

第13章 脳と機械をつないだときに
――脳エンハンスメントの未来

櫻井芳雄

わたしたちの脳は身体を動かすことで周りの機械を操作している。しかし、身体を介さず脳の活動で直接、機械を操作するシステムの研究も進んでおり、これをブレイン－マシン・インタフェース（ＢＭＩ）と呼ぶ。ＢＭＩは脳－機械の融合による高度な障がい補綴(ほてつ)(prosthesis)のシステムとして期待されている。しかし、脳の活動が表す情報(神経情報)がまだ未解明であることや、耐久性や安全性の問題もあり、本格研究から二〇年以上経った現在も実用化にはいたっていない。すなわちＢＭＩは、脳科学の進展を踏まえながら長期的に取り組むべき研究課題であるが、一方、そこから、機械を動かすことで脳の活動を増大させるニューラルオペラントと、そのヒトへの応用をめざすニューロフィードバックが広まった。

ニューロフィードバックは様々な精神疾患や発達障がいの治療をめざしているが、同時に、健康な脳機能をさらに増強させる脳エンハンスメントにも応用されつつある。本章では、ＢＭＩから派生したニューロフィードバックを中心に、脳のエンハンスメントの意義と倫理的問題について考えてみたい。

一　ブレイン－マシン・インタフェース（ＢＭＩ）の現状

障がいの補綴に向けて

医療としてのＢＭＩは、脳の神経活動で義肢や身辺の機器、あるいは自身の筋肉を直接操作するシステムであり、脳損傷や脊椎損傷により身体が麻痺したヒトを対象としている（櫻井 二〇一三）。その種類は、脳内に記録電極を埋め込む侵襲式と、脳には直接触れない非侵襲式に分けられ、後者の代表が脳波（ＥＥＧ）や脳血流の変化を計測するＢＭＩである。非侵襲式の研究者はきわめて多いが、脳波や脳血流から検出できる運動情報は乏しいため、ＢＭＩの精度も低く不安定である。そのため非侵襲式ＢＭＩでは、患者や被験者に特定の脳波を特定のタイミングで出させる訓練や、ある脳部位の血流量を変化させるための訓練を繰り返し、それらのわずかな変化を信号として利用し機械を動かすというシステムにならざるを得ない。

一方、侵襲式ＢＭＩで検出される神経細胞集団（とくに運動野）の活動には、まだ未解明なことも多いが、詳細な運動情報が含まれていることが、一九八〇年代の動物実験ですでに明らかになっている。そのため、侵襲式ＢＭＩは、機械を高精度に操作するには最もふさわしい方法であり、動物実験と並行してヒトの臨床試験も継続しており、精度も徐々に向上している。

脳活動の増大

動物実験によるＢＭＩの研究から、脳の重要な特性がいくつか明らかになった（櫻井 二〇一三）。その一つが、機械を直接操作することで、脳がその活動を顕著に増大させることであった。

たとえば、サルに運動野の神経細胞集団の活動でコンピュータ画面上のカーソルを制御するよう訓練したところ、神経細胞集団の発火頻度が急激に上昇した。このように、学習の初期に神経細胞の活動が増大することは、一般に新奇な課題を学習する際によく見られる現象である。たしかにサルにとってＢＭＩは、身体とは異なる対象(機械)を脳で動かすというきわめて新奇な課題であり、その学習で神経細胞の活動が急激に増大するのは当然かもしれない。そして、どのような課題であれ、学習は報酬を得ること(強化)により進むが、ＢＭＩも例外ではなく、機械を操作し目的を達成したこと、あるいは機械を思い通り操作できたことが強化となり学習が進む。すなわちＢＭＩを操作する学習には「特定の神経活動が強化をもたらす」ことが必然的に伴うが、そのような学習はまさしく神経細胞の活動のオペラント条件づけ(自発的な反応が強化されることで増大していく学習)であり、それをニューラルオペラントと呼ぶ(櫻井　二〇一五)。

具体的には、ラットやサルの神経細胞の活動を計測し、その活動が増大し一定の基準を超えたとき、水や餌などを出す機械が作動し報酬を与え強化するという方法である。このニューラルオペラントこそＢＭＩに必須であり、同時に、脳の活動をより迅速に増大させる方法でもある。

二　脳機能の修復

ニューロフィードバック

ニューラルオペラントの手法は、古くからある心理療法のバイオフィードバックの応用といえる。そしてヒトに使う場合、安全のため脳波などの非侵襲式計測を用いることになり、新たなニューロフィードバックという名称で広がりを見せている(ロビンス 二〇〇五)。ニューロフィードバックは、さまざまな精神疾患の治療や発達障がいの改善に活用されつつある。たとえば、注意欠陥多動性障害(ADHD)の子どもの脳波では周波数の高いベータ波(一四ヘルツ以上)が弱く、周波数が低めのシータ波(四〜八ヘルツ)が多いが、ニューロフィードバックでベータ波を増やしシータ波を減らすことで、注意力が向上したという。その他、うつ病や強迫性障がいの改善についても報告があるが、どのような疾患や障がいであれ、基本的な方法は共通である。まず、それら疾患や障がいに特有の脳波成分の変化を特定し、その変化と逆の脳波成分を増大させるよう訓練すればよい。訓練の具体的な方法は多様であるが、たとえば、脳波計測装置とテレビゲーム用コンピュータをつなぎ、望ましい脳波成分が増大するとテレビゲームが操作でき褒美が与えられる。またテレビゲームが操作できたこと自体も強化につながる。

一方、ニューロフィードバックの効果を確認できなかったという報告も少なくない。また、効果が見られる場合でも、その程度には個人差が大きいこともわかっている。それは、脳波を望ましい成分へと変化させる方法は、その人自身が試行錯誤で見つけなければならないからであり、しかもそれが一人ひとり異なるからである。たとえばベータ波を増やすために、ある人は高い場所から海に飛び込むことを想像し、ある人はキャンプ場で料理をしている様子を想像するという。今後、ニューロフィードバックの効果を確実にするためには、その脳内のメカニズムを明らかにし、そこからより効果的な方法論を確立することが必要であるが、そのためには、前述の動物を使ったＢＭＩやニューラルオペラントの研究が不可欠である。

ニューロモデュレーションの問題

何らかの形で脳に介入しその機能障害を修復しようとする試み全体を、最近はニューロモデュレーションと呼ぶ。様々な精神疾患を対象に検証が進んでおり、その倫理的な課題についても考察されている（櫛島 二〇二〇）。侵襲的な介入としては、まずロボトミーに代表される精神外科があげられる。その悲惨な歴史についてここでは語らないが（櫛島 二〇一二に詳しい）、ニューロモデュレーションという用語も、過去の忌まわしい精神外科とは異なることを示すためつくられたという。

現在の侵襲的介入の代表は脳深部刺激（DBS）であり、従来の運動機能失調（パーキンソン病、ジストニア、トゥレット症候群など）にとどまらず、うつ病や強迫性障がいなどの精神疾患や、さらには心的外傷後ストレス障害（PTSD）、薬物依存、そして拒食症や過食症に対する適用もはじまっている。一方、非侵襲的な介入には、頭蓋骨の近くから強い磁気を与えることで脳内に誘導電流を発生させる経頭蓋磁気刺激（TMS）、および頭皮に弱い電流を流して脳内を刺激する経頭蓋直流電気刺激（tDCS）があり、統合失調症やうつ病などの精神疾患に加え、発達障がいも対象として適用されはじめている。しかし、櫛島が指摘するように、脳に物理的に働きかけ効果があったなら、それは何らかの侵襲性があったということであり、DBSとTMS・tDCSの違いは、侵襲か非侵襲かではなく、侵襲あるいは介入の程度の違いと理解すべきであろう（櫛島 二〇二〇）。

このことは、そのまま過去の精神外科とDBSの違いにも当てはまる。しかもDBSやTMS・tDCSの作用機序はまだ明確ではなく、また精神疾患や発達障がいのメカニズムもまだほとんど不明であることを考えれば、それらが第二の精神外科にならないという保証はない。それらの適用は慎重でなければならず、長期的な経過観察も必須である。

一方、ニューロフィードバックもニューロモデュレーションの一種ということができる。しかし、DBSやTMS・tDCSとの間には、単なる程度の違いではなく質的な違いがあり、それはニューロフィードバックが第三者による外からの物理的な介入ではなく、すでに述べたようにオペラント条件づけによる能動的な学習に基づくからである。つまり、脳に強制的に電流を流し刺激するようなことはせず、当事者の脳がその可塑性の範囲内で変化するよう自ら学習していく方法といえる。

三　治療からエンハンスメントへ

脳エンハンスメント

最近、ＤＢＳやＴＭＳ・ｔＤＣＳは、治療目的ではなく健康な脳機能のさらなる増強（エンハンスメント）にも使われつつある。それが通常の運動機能や身体能力を向上させる、あるいは記憶力や集中力を増大させるという報告もあり、そのようなエンハンスメントを目的とした行為が自由診療として一般人に実施される可能性がある。しかし、これらエンハンスメントに対しては「美容精神外科」あるいは「美容ニューロモデュレーション」として批判する動きもあり、フランスではその法的規制もはじまっている。また、それらの脳刺激が戦場での兵士の運動能力や集中力を高め、さらに恐怖心を抑え高揚感を上げるために使われる可能性もあり、実際、アメリカ国防総省の高等研究計画局（ＤＡＲＰＡ）は、兵士の感情や行動を変化させることも目的としたＤＢＳの開発プロジェクトに巨額の予算を提供しているという（櫛島 二〇一〇）。

それでは、それら脳内刺激法とは異質のニューロフィードバックについてはどうであろうか？　実はその治療効果が報告されはじめた二〇〇三年頃から、健康な脳のエンハンスメントを目指す試みもはじまっていた（クラフト 二〇〇六）。たとえば、アメリカ航空宇宙局（ＮＡＳＡ）は、パイロットの集中力向上のためニューロフィードバックを利用している。また、ニューロフィードバックで特定の脳波成分を増大させることで、記憶力テストの得点が上昇したり、楽器演奏などのスキルが向上したという報告もある。これらの効果はまだ十分には確立されておらず研究途上であるが、ここで強調しておかねばならないことがある。それは、ニューロフィードバックの目的が疾患の治療であるか健康人のエンハンスメントであるかに関わらず、またそれが非侵襲的であり、たとえ脳がその可塑性の範囲内で能動的に変化することを促す方法であるとしても、やはり特殊な技法で脳機能を変えるのであれば、それは脳への介入であり、何らかのリスクを伴う可能性があるということである。脳の可塑性は都合がよい方向にも悪い方向にも働くからである。

今、何が問題か

脳に限らず、さまざまな身体機能のエンハンスメントの試みも、現在、多方面で進んでいる。たとえば、成長ホルモン投与、遺伝子治療、認知機能向上薬、形成外科などが治療以外の目的で実施されており、社会の高齢化に伴いアンチエイジング療法も増加の一途である(もちろん老化は病気ではない)。それらの効果はいずれもまだ不確実であるが、一方でそれらエンハンスメントの許容範囲や倫理問題について、さまざまな分野の専門家による議論も続いている。そこでは、能力の平等、公正な競争、個人の主体性、ヒトの生得性など、ヒトと社会に関する重要な視点から議論が展開されており(生命環境倫理ドイツ情報センター 二〇〇七、上田・渡部 二〇〇八、サンデル 二〇一〇)、機械と人体の融合に焦点を絞った議論も少なくない(原 二〇一〇)。

このような議論のなかでも、脳機能のエンハンスメントはとくに注目されやすい。なぜなら脳が個人の能力の源であり、誰もが多かれ少なかれその向上を願うからである。しかし同時に、誰もがより手軽で即効性がある方法も求めており、それが落とし穴を生み出している。それは、これらリスクも伴う不確実な方法を誇大に喧伝し利益を得ようとする「エンハンスメントビジネス」の拡大であり、それを後押しするため登場する科学の衣をまとった「専門家」や「研究者」の存在である。

脳に限れば、ヒトの行動も思想も、そのすべてを脳科学で説明できると喧伝する「自称脳科学者」も、脳科学をビジネスとして利益を得ようとする専門家であろう。また、ビジネスと離れてはいるが、あえてリスクと不確実性を隠し、あたかも夢の技術や治療法であるかのように政治家や官僚に訴えることで、巨額の予算を引き出そうとする脳科学の研究者も、少なからず存在する。認知症をはじめとする脳神経疾患を修復する方法もいまだ確立されていない現状を見れば、脳が未知で手ごわい研究対象であることは明らかであり、ヒトや社会の問題を現在の脳科学で簡単に説明できるはずもない。今、まず考えねばならない倫理的問題はきわめて卑近であり、このようなブラックビジネスとブラック研究者の存在である。

格差の視点

脳を含めたエンハンスメントの問題点を理解しながらも、その拡がりを前向きにとらえ積極的に推進しようとする意見もある(ナム 二〇〇六、粟屋 二〇〇七)。その論拠は、エンハンスメント技法の活用がより平等な社会を実現するからだという。すなわち、もともと知的能力や運動能力の低い人たちがエンハンスメント技法を活用することで、一部の人の独占物であった優れた能力が開放されることになり「もたざる者」が「もつ者」の仲間入りすることになるという(粟屋 二〇〇七)。しかし、そのような能力平等社会は到底実現し得ず、エンハンスメント技法の活用は、能力不平等社会をさらに拡大させるといわざるを得ない。なぜなら、エンハンスメント技法を真っ先に活用できる人たちは、経済的にも時間的にもゆとりのある階層であることは容易に想像できるからである。

将来、ＢＭＩの研究がさらに進み、高度な脳エンハンスメント技法が登場したならば、そこには最先端の技術が駆使されているはずであり、またそれを適切に活用するには高度な知識を身につけた専門家も必要となるであろう。現在、ニューロフィードバック用に市販されている機器さえ、劣悪な製品を除けば誰もが簡単に購入できる価格ではなく、またそれらを効果的に使うためには、脳科学と心理学(とくにオペラント条件づけ)に詳しい専門家の指導が必要である。つまり、現在もすでにそうであるが、将来はさらに、経済的かつ時間的にゆとりのある裕福な階層だけがニューロフィードバックも含めた脳エンハンスメントの技法を活用し、高性能な脳を手に入れることになる。それが社会的格差のさらなる拡大をもたらすことはいうまでもない。

治療目的から離れた脳のエンハンスメントの是非を考えることは、ヒトとその社会はどうあるべきかについて考えることであり、そのような考察と議論はたしかに意義深い(第11章参照)。しかし同時に、ここにあげたいくつかの参考文献が示すように、多様な視点が錯綜し、そこから明確な結論を出すことが難しい場合もある。しかし「社会的格差のさらなる拡大を許すか否か」に視点を定めれば、結論はおのずと決まるはずであり、そこにわたしたちの良心を顕在化させねばならない。

現在も世界中で拡大する一方の格差(ディートン 二〇一九)、しかも個人の努力では手が届かない、あるいは個人が努力する機会さえ奪ってしまう大きな格差を、脳のエンハンスメントがさらに拡大させ得ることを考えれば、そんなものは必要ないと断言すべきである。

パンデミックの時代に向けて

近・現代史が示すように、理想とする真に平等な共同体の実現はきわめて難しく、時として真逆の強権的な独裁や支配―被支配体制を生み出すことになる。つまり、個人が多かれ少なかれ競い合うことを前提とする競争社会はこれからも続くであろうし、そのため脳や身体のエンハンスメントへの欲求も消えることはないであろう。

現在、新型コロナウイルス感染症（ＣＯＶＩＤ－19）が世界的な脅威となっているが、今後も未知の感染症の登場が避けられない以上、より強力な免疫力や回復力を目指すエンハンスメントへの欲求も一層高まるはずである（第12章、第14章参照）。それは現在、早くも広まっている免疫力向上を謳う薬剤やサプリメントにとどまらず、遺伝子療法などを含む新たな医療として喧伝されるかもしれない（第12章参照）。つまり、新たな感染症によるパンデミックへの恐怖が、新たなエンハンスメントビジネスを生み出すことは間違いない。そのようなエンハンスメントの効果について常に懐疑的であるべきことはもちろんであるが、もし真の効果があったとしても、先に述べたように社会的格差の視点に立てば、けっしてそれをビジネスの世界に置いてはならない。

パンデミックの時代に向けてエンハンスメントへの欲求は際限なく増大していくであろうが、だからこそ、その対応を民間の市場原理に任せてはならず、公的な規制を含む制御が必須である。

まとめ 

- 脳で機械を操作するＢＭＩの研究から脳の活動を増大させるニューロフィードバックが広まり、健康な脳機能をより増強させる脳エンハンスメントにも使われている。
- 脳エンハンスメントの技法には脳を直接刺激するＤＢＳ、ＴＭＳ、ｔＤＣＳがあるが、脳に介入することのリスクは避けられず、それは刺激を使わないニューロフィードバックでも同様である。

- 医療目的でない脳や身体のエンハンスメントの広がりを放置すれば、現在の社会的格差がさらに拡大することになり、パンデミックの時代ではそれが加速する恐れがある。

参考文献

粟屋剛(二〇〇七)「エンハンスメントに関する小論――能力不平等はテクノ・エンハンスメントの正当化根拠になるか」町田宗鳳・島薗進編『人間改造論――生命操作は幸福をもたらすのか?』新曜社、七六―八九頁

上田昌文・渡部麻衣子(二〇〇八)『エンハンスメント論争――身体・精神の増強と先端科学技術』社会評論社

クラフト、ウルリッヒ(二〇〇六)「脳波の自己コントロール」『日経サイエンス』二〇〇六年一二月号臨時増刊、四四―四九頁

櫻井芳雄(二〇一三)『脳と機械をつないでみたら――BMIから見えてきた』岩波書店

櫻井芳雄(二〇一五)「ニューロフィードバックの基礎――神経活動のオペラント条件づけ」*Clinical Neuroscience*, 三四、一五五―一五九頁

サンデル、マイケル(二〇一〇)『完全な人間を目指さなくてもよい理由――遺伝子操作とエンハンスメントの倫理』林芳紀・伊吹友秀訳、ナカニシヤ出版

生命環境倫理ドイツ情報センター編(二〇〇七)『エンハンスメント――バイオテクノロジーによる人間改造と倫理』松田純・小椋宗一郎訳、知泉書館

ディートン、アンガス(二〇一九)「人類を追い詰める格差社会」『別冊日経サイエンス』二三六、六―一一頁

ナム、ラメズ(二〇〇六)『超人類へ!――バイオとサイボーグ技術がひらく衝撃の近未来社会』西尾香苗訳、河出書房新社

櫛島次郎（二〇一二）『精神を切る手術——脳に分け入る科学の歴史』岩波書店
櫛島次郎（二〇二〇）「ニューロモデュレーションと倫理的課題」『臨床精神医学』第四九巻第六号、八〇一—八〇七頁
原克（二〇一〇）『身体補完計画——すべてはサイボーグになる』青土社
ロビンス、ジム（二〇〇五）『ニューロフィードバック——シンフォニーインザブレイン』竹内伸監訳、星和書店

第14章　科学と戦争——問われる科学者の良心

池内　了

一　コロナ禍と戦争

二〇一九年末、中国ではじまったコロナ禍を、国家が自己の利益や意志を貫徹するために他国と武力を用いて争う戦争にたとえた政治家が何人もいた。「新型コロナウイルスが人類に攻撃を仕掛けてきた、すべてが一丸となって立ち向かわねばならない」というわけで、常に外敵からの恐怖を煽って軍事拡張に奔走している政治家たちの思惑が透けて見えた。戦争は人間が起こすものであり、それゆえにその災禍は人間の愚かさに起因するものであるからこそ、逆に人間の英知によってその勃発を抑止することができ、戦争に訴えないでも紛争や対立を解決することができるのである。このように、戦争は本来的に克服できる人間の所業であるがゆえに、いかなる難事であろうと、安易に戦争にたとえて論じるべきではない。ましてやコロナ禍は、人類への挑戦とばかりにウイルスが来襲したわけではなく、拡大し過ぎた人間の活動によって未知のウイルスが人間世界に引き出されたため、という人災が発端であるとされる。それゆえに、現在のような事態は人類の生きざまについて謙虚に反省することを迫っている、ととらえるべきである。

そのために必要なことは、世界が協調してウイルス感染の拡大を抑えつつ、早急に治療薬やワクチンを開発し、世界中の誰もが支障なく使えるような体制を整えることである。また、コロナ禍は国際的にも国内的にも貧困層により深刻にしわ寄せされ、いわゆる貧困国・開発途上国の人びとの救済が後回しにされがちになるから、これらの人びとへ意識的に手を差し延べることが肝要である。そのための原資は膨大に使用されている軍事費から調達すればよいのだから、戦争という呪縛から逃れさえすれば、この困難を克服することは可能なのである。まさに現在の地球に生きる人類の持続可能性が試されるといえるだろう。

二　軍拡の空しさ

人類は戦争に勝利するために莫大な量の最新鋭の武器を装備してきた。実際、高性能な核ミサイルや高速爆撃機や潜水艦を常備し、空を飛び交う人工衛星で常時監視を行い、さらにサイバーやＡＩや電磁波などの新領域に武器開発を拡大しようとしているのだが、それらは基本的には人間と社会施設を物理的に破壊することを目的としている。「戦争とは破壊」なのである。しかし、それらの最新鋭の武器であっても新型ウイルスに対しては何ら有効ではないことは明らかである。このことがまた、コロナ禍との闘いが戦争と同じではないことを明瞭に物語っている。

それにもかかわらず、何らの反省もなく軍拡路線を突っ走っている現在の状況を、筆者は空しく思うと共に、少し滑稽にも受け取っている。敵を殲滅（せんめつ）できるどんなに強靭で精緻な兵器で武装しても、ウイルスという目に見えないちっぽけな半生物体の繁殖戦略を撲滅することなどできないからだ。ましてや、敵基地攻撃を自衛攻撃と言い換えて、なおも資源やエネルギーの無駄づかいをけしかける政治家が多いことを、いっそう滑稽に思っている。

ウイルスと関連して、生物兵器について述べておきたい。生物兵器は日本の七三一部隊が中国で使ったらしいことが伝えられている以外には、多くの国が感染症ウイルスや病原菌を兵器とする開発を行ってきたが、戦争に直接使われることはなかったのではないだろうか。その理由は、今回のコロナ禍でわかるように、いったんウイルスや病原菌が解禁されると自己運動する生物体だから、敵味方を区別せずに広がるので被害がどんどん拡大し、制御できなくなる点にある。一九二五年のジュネーブ議定書で毒ガス・生物兵器の使用禁止が宣言されたが、実際に生産・貯蔵・輸送も含めて全面禁止条約が締結されたのは、生物兵器が一九七五年であり、化学兵器は二二年遅れて一九九七年まで遅らされた。使いやすさがこの時間差の背景となっているのである。

しかしながら、生物兵器の研究開発は敵が使った場合の治療のためという口実で、軍事大国と呼ばれる国々(少なくとも、米英中ロ)では、秘密の軍事研究機関で今も継続していることは公然たる事実である。さらにゲノム編集のような遺伝子操作の技術が発達するにつれ、地球上には現存しないタイプのウイルスなどをつくり出すことが可能になっている。そのようなウイルスが漏れ出すというようなことになれば、いかなる惨禍が生じるか誰にもわからない。今回のコロナ禍で、アメリカが盛んに中国の生物兵器開発過程で漏出した可能性があると言い募ったのは、そのような背景があるからだ。むろん、アメリカだって同じようなことを明瞭に行っているから、一方的に非難するのは当を得ていない。

人類は自らを滅亡させかねない災厄を引き起こす数々の手段を手放せず、それどころかさらに危険な兵器開発を行いつつある。むろん、それには科学者が参与しており、さて科学者の良心はどこへ行ったのかと思わざるを得ない。

三　軍事研究への誘い

今、競って推進されている軍拡競争は、必ず仮想する敵国よりも軍事力が勝っている状態を実現すべく行われるもので、たとえば日本の防衛省では「技術的優位」が常套語になっている。つまり、現在の軍事装備品の能力(威力、精度、使い勝手など)を少しでも上回るための技術開発を常に行っており、そのような新規製品ができるとすぐに切り換えられる。旧い兵器は使われないままスクラップされており、膨大な資源の浪費には溜息が出る。

さらに「ゲームチェンジャー」と称して、それまで使われていた装備品とは質的に異なった新機軸の兵器開発に精力が割かれている。まさに戦闘というゲームのルールまで根本的に変えるような武器が実現できれば、戦争を絶対有利に導くことができるからだ。そこにさまざまな分野の科学者のアイデアを活用しようとしており、科学者が軍事研究に関わる誘因となっている。

通常、イノベーションにはTRL(技術成熟度)が1から9まで定義されており、TRL1が基礎研究、2が技術的概念モデルの提案、3が技術的概念モデルの定量化、4が実験室での実証モデル、5が現実に近い環境下での実証モデル、6が実証モデルのシステム化、7が実際の使用環境下での実証モデル、8が実際のモデルの製作と試験、は9が実際のモデルの性能確認、となっている。軍事研究においては、軍が大学などの研究機関の科学者の協力を得るのはTRL1～3の初期段階で、以後の開発は自前の軍事研究所が当たるのが通例である。

たとえば、日本の防衛装備庁が募集している「安全保障技術研究推進制度」(委託研究)では、A(一年三九〇〇万円以下、三年間)やC(一年一三〇〇万円以下、三年間)はTRL1の段階、Sタイプ(総額二〇億円以下、五年間)はTRL1から3までが想定されており、その間の研究成果公表の自由を保証するということになっている。そのこともあって、募集する研究テーマすべてを「基礎研究」と呼び、民生研究とほとんど同じであることを強調している。こうすることによって、参与する科学者に軍事研究であることを忘れさせ、将来たとえ軍事装備品として活用されようとも結果について心配しなくてよい、との安心感を抱かせるのである。これはアメリカのDARPA(国防総省高等研究計画局)が発案した方式で、科学者を気楽に軍と共同研究に誘い込むことに功を奏している。

日本においては、日本学術会議が一九五〇年と一九六七年の二度にわたって「戦争を目的とする(軍事目的のための)科学研究を(絶対)行わない」との声明を出し、二〇一七年には、この二つの声明を継承した「軍事的安全保障研究では政府による研究者の活動への介入が多い」とする声明を発出している。先の戦争において科学者が軍に協力してきたことを反省して、軍事研究に携わることを拒否するという意志を内外に公表し、その決意を踏襲するとしたのである。その思いは現在も多くの大学の研究者は共有しており、防衛装備庁の委託研究制度の募集に対してこぞって応募する状況にはなっていない。

四　科学者の良心として

しかしながら、防衛装備庁の委託研究の公募に対して、大学からの応募は依然として続いており、独立行政法人の研究機関からの応募はむしろ増えている状況である。とくに、若手研究者は何ら警戒せずに、積極的に受け入れるべきとの意見が多い。そこで筆者なりにその理由を想像し、どう考えるべきか述べてみたい。

根本的には、科学と戦争の関係を考えるにおいて、科学者が自らの研究と良心との間で、どう折り合いをつけるかの問題に帰するのではないかと思っている。

何のための、誰のための科学研究か

いかなる科学・技術も民生用にも軍事用にも使えることからデュアルユース（軍民両用）が強調される。科学・技術の基礎研究段階や開発段階では、まだどちらに使われるかわからないのだから、防衛装備庁の資金であってもとやかく言うべきではないという議論に使われる。しかし、その研究の資金源が何であるかは決定的なことで、軍事に関係する機関であれば、たとえ民生利用のための開発と称していても、やはり目的は軍事利用である。そもそも軍事機関が民生開発のための金を出すわけがないからだ。自分の研究が軍のため、究極には戦争のために使われたくないなら、いかなる名目であれ、軍事機関が資金源である研究助成は受けるべきではない。

次に、たとえ軍事利用が先行しても、いずれ民生利用され生活を豊かにして人びとの役に立つことになるから構わないではないか、という議論がなされる。現に、カーナビやインターネットや電子レンジなど、すべて軍事用に開発された技術が民生用に転化されて役立っていることを見よ、と誘うのである。ここで問うべきなのは、軍事開発が優先されるのはなぜか、軍は必ず民生利用のために開放するのか、という問題であろう。そうすると、なぜ軍は豊富な資金をもつのか、軍が開放するのはいかなる技術か、と考えざるを得なくなる。そのように深く考えると軍事開発の本質が見えてくるであろう。そうして、自分は本来的に民事・軍事のいずれを優先すべきと考えているのか、と詰めるのである。それによって、何のための、誰のための研究かを問い直すことになる。その点検こそ科学研究を行う者がもつべき良心ではないだろうか。

科学の発展のためならいいのか？

ここで言っておかねばならないのは、科学者は得てして傲慢で、何事についても自己を正当化する傾向があるということだ。つまり、科学の研究は普遍的真実を追究する高貴な営みであり、その知見は最終的には人びとの役に立つものであるから、科学の発展のためなら何をしても許されると考えがちになるということである。たとえば人体実験のような非倫理的な研究活動を行っても、結果的に多くの人間を救うデータが得られたのだから罪はないと主張する。アメリカ原子力委員会の科学者は、原爆実験直後の爆発地を兵士たちに行進させて放射線被曝量を調べる実験を行ったが、核戦争における基礎データの集積だとこれを正当化した。これらはほんの一例で、良心に外れた人体実験同様の行為を散々行ってきたが、多くの科学者は反省していない。科学の発展に寄与したと信じているからだ。

軍事研究に参加する科学者が自己の行為を「科学が発展するのだから」と正当化するのも、それと同一の心理である。軍事開発であれ科学の進歩に寄与するから善であると主張する科学至上主義であり、それが何をもたらすかについては一切関心をもたないのだ。「ナチスは科学を戦争に利用し、ハイゼンベルクは戦争を科学に利用した」といわれる。ドイツの原子力研究を指導したハイゼンベルク（一九〇一〜七六）は、戦争という機会を利用してナチスの軍事開発に協力しつつ、原爆の開発を含め科学の研究費を多く出させることに成功した。このことから、終戦後科学者の多くは、自分たちがナチスの戦争に加担したとの罪の意識を長い間もたなかったという。

このような科学至上主義は、現在の日本の若手研究者の多くに共通しているようである。戦争に対する意識が弱く、軍事との接触が少ないという点はいいことなのだが、軍事研究に対する警戒心が薄く、たとえ軍事開発を目的とする機関からの資金であろうと、科学の発展に寄与するのだからとして簡単に受け入れてしまう例をいくつか目にしたことがある。

しかし、本当に科学の発展になるのだろうか。そのことをじっくり考えることが必要である。たとえば、軍事開発と結びついた発見・発明は、必然的に軍事機密となるから、一般に広く知られることがない。科学が発展する基本条件は、科学の知識が多数の科学者の目に触れて互いに批判し合うことにある。それによってより優れたアイデアや方式が考案され洗練されることで発展していくのであって、機密となった知識はそのまま行き止まりになってしまうことは明らかだろう。軍事開発と結びつくと科学の発展は阻害されるのである。

機密となった段階になれば拒否して軍事研究から手を引けばいいというかもしれないが、軍事当局(防衛装備庁や米軍など)は十分それを心得ていて、これまで支給した研究費を全額返還することを要求するかもしれない。あるいは、そのような人間が後に続かないよう「特定秘密保護法」を適用し、公開すれば罰則を科すことだってあり得る。軍事研究によって得られた知識は、科学者の手を離れて軍事当局の思いのままになってしまうと覚悟しなければならない。軍事当局は平気で研究者の良心を踏みにじってしまうのである。そのような危険性があるところに科学の真の発展があるだろうか。

研究費のためだから

科学者にとって研究費をいかに確保するかは死活問題である。とくに現在は、公募されたテーマについて応募し、同分野の研究者と競争のうえで研究費を獲得する「競争的資金」と呼ばれる研究費が一般的である。それに成功しなければ研究費がないから研究が進まず、当然論文が書けず、そのため競争的資金が獲得できないという悪循環に陥り、研究者として生き残ることが困難になってしまう。研究者は熾烈な競争社会を生きているのである。その結果として、当座をしのぐためには軍事研究に加担するのも止むを得ない、として軍事当局からの研究資金に手を出してしまうことになる。すぐに深刻な問題が起こるわけではない、として良心はいったん脇に置いておこうというわけだ。

しかし、問題はそれで終わらない。一度でも手を出すと、二度、三度と止められなくなる。というのは、競争的資金獲得の困難さはずっと変わらないし、軍事研究を強く迫られたのでもないというわけで、応募に慣れている軍からの資金に再び応募するのを得策と考えるからだ。現に、防衛装備庁の制度が創設されて六年経つが、採択二回目の研究者が現れている。そのような状況になると軍事当局に恩義を感じるようになり、軍事研究を行うことに良心の痛みもなくなってしまう。麻薬と同じなのである。

応募がうまくいかない場合は、当然、応募書類に装備庁が期待するような軍事開発への熱意が不足していたのかと考え、次の応募にはより熱意を強く込めて軍事的応用の可能性を説くようになるものだ。実際、近年イノベーションに寄与することが盛んにいわれるようになって、競争的資金の応募書類には「いかに役に立つか」を熱心に強調するようになっている。書類上だけのことだと自分に言い聞かせ、良心をマヒさせてリップサービスするのである。競争的資金の危険性は、このように応募者が資金提供者に迎合的になって、意図しないまま学問を虚飾に染めていくことにある。軍事研究に関係する場合、その危険性は明らかだろう。採択されると、率先して軍事的効用を請け負う羽目に陥るからだ。

良心に目をつむるのは研究費獲得のためだけで、科学の内容についてはそんなことはしない、と普段は思っているのだが、そうはいかない。競争的資金は、資金を提供する機関が何であるかを応募者は常に意識し、首尾よく採択されれば当然、感謝の気持ちを抱いて報いたいと願う。企業からの委託研究制度であれば、企業活動にプラスになるような成果をもたらしたい、と誰もが思う。それも良心の働きであるからだ。

資金の提供者もそのような見返りを期待していることも確かであろう。資金の供与者と取得者の間には精神的なものを含め、必ず互酬関係が生じるのだ。原発の研究者が電力会社から研究資金を提供されていれば、わたしたちはそこに何らかのウサン臭さを感じるのは当然である。これと同じく、研究者本人は、最初は軍事研究を積極的に行う意図はなくとも、軍事当局から研究費を受ければ恩義を感じ、やがて自分から進んで関わっていくようになってしまうのである。良心のありかをしっかり自覚する必要がありそうだ。

他を引き合いにする

自分の倫理意識をなだめる一つの方法は、周りの誰だって同じことをしているのだから、自分だけが悪いわけではない、という言い訳だろう。多数の共犯者を言い立てて罪を薄め、自分を安心させるのである。軍事開発だって、多くの過去の科学者が協力した結果、これだけ発達したのだから、それらすべてを批判できないだろう、それに比べれば、自分が関与するのはほんの少しなのだから、とやかく言われる筋合いはない、と居直るのである。

現実に進行している軍事研究に関しては、「諸外国では皆やっているのだから問題はない」とか、「軍事研究に反対するのは日本だけ」という論調もよく使われる。軍事研究そのものの「正否」には何ら触れず、世界の多数が軍事研究を行っており、それに対しそれを拒否しようという日本は異例であるとの「賛否」の数で裁断する論法である。このような議論の立て方は論理のすり替えであることは明白だろう。「正否」を問うと良心と葛藤しなければならないが、「賛否」の数にしてしまえば良心に触れることなく答えが出せるというわけである。

あるいは、原爆開発の罪を問われたとき、ある研究者は「原爆をつくったのは自分たちだが、使ったのは軍人だから軍に責任がある」と言った。原爆という究極の武器の製造責任を棚に上げて、使用者に責任を押しつける論法である。この伝で言えば、たとえば第一次世界大戦で毒ガス使用を考案し製造に手を貸したフリッツ・ハーバーは何らとがめられることなく、悪いのはそれを戦場で使った軍人のみになってしまう。事実、ハーバーはもとより、ナチスに協力してVロケットでロンドンの住民を多数殺傷したフォン・ブラウンも、七三一部隊で生物兵器開発のために多数の中国人たちを人体実験によって殺傷した石井四郎も……と、戦争をいっそう醜いものとした多数の科学者たちは戦争犯罪を問われたことはなかった。しかし、このような責任の取り方でいいのだろうか。

やはり決定的に重要なのは、個人として良心に恥じないかと自己を省察する習慣ではないだろうか。他人を引き合いに出して自分の罪を薄めるという態度は、逃げでしかない。良心を隠蔽して自らに真正面から向き合わない行為であるからだ。科学者であれば、このような態度は論理のすり替えだと自分が一番よくわかるはずで、常に自らの行為を良心に問いかける習慣をもちたいものである。

五　社会との契約

最後につけ加えておきたいのは、科学者という存在の重みであり、その社会的責任を自覚して戦争の問題も考えるべきということである。科学の研究は、そこから何が生まれてくるか予めわかっているわけでなく、研究費を多く投じてもそれに比例して成果が出るとは限らない。というより、科学研究の九〇％以上はその成果が後世に残るわけではなく、社会に直接役立つわけでもない。それにもかかわらず、社会は税金を使って科学者に科学の研究（と教育）を委託している。その理由は、科学はその研究を通じて人間の自然観を鍛えていく重要な営みであり、その継承と発展のためのかけがえのない仕事を科学者に委託しているという社会的合意があるからである。その見返りとして、科学者は人間が殺し合う戦争のためではなく、人間を活かす平和と福祉のためにベストを尽くすことを社会に約束する、そんな暗黙の契約を結んでいるのだ。そのことを自覚して、その契約を履行するのみでなく、より豊かにすることは科学者が果たすべき社会的責任なのではないだろうか。

であるからこそ、憲法に学問研究の自由が保証されており、科学者は学問への権力の介入の排除に努めねばならない。日本学術会議の声明にあるように、軍事研究に携わることを拒否しなければならないのである。それは健全な科学を未来に受け継いでいくうえでも、現在を生きる私たちが担っている重要な役割なのである。そのような心構えを堅持しているかどうか、わたしたちは良心に常に問い続けるべきではないだろうか。

まとめ 

- 科学者は、何のための、誰のための科学研究であるかを常に自らに問い直し、たとえ基礎研究・民生研究と銘打っていても、軍事利用が優先される科学の使用に対しては拒否する姿勢を堅持するべきである。
- 軍事開発であれ科学の進歩に寄与するから善であると主張するのは科学者の独善であり、本当に科学の発展に寄与するかを考える必要がある。軍事開発は必然的に軍事機密となり、軍当局からの介入を受ける。それを許容することは学問の自由を阻害し、科学の発展につながらないからだ。
- 社会は科学者に対して税金を使って科学の研究と教育を委託し、科学者は社会に対して平和と福祉のために尽くすことを社会と約束している。このような暗黙の契約で市民と社会が結ばれていることを忘れてはならない。

参考文献

池内了(二〇一六)『科学者と戦争』岩波新書
池内了(二〇一七)『科学者と軍事研究』岩波新書
池内了(二〇一九)『科学者は、なぜ軍事研究に手を染めてはいけないか』みすず書房

おわりに

科学は人間を取り巻く世界を観察する方法を模索し、人間の世界認識に大きな影響を与えてきた。とりわけ近代以降、科学やそれに基づいて生み出される技術の進展は、社会や国家を発展させるものとして重視されてきた。しかし、科学や技術が人間や社会に対してもたらしたのは、必ずしも、よいものばかりではない。現代の環境問題や経済格差は、その好例であろう。人体実験、核兵器の開発、優生学による差別政策など二〇世紀に起こった出来事は、科学が時として暴走し、人の命を損壊する道具として用いられることをも示している。科学と人間の関係を問う際、人間精神の創造的側面だけでなく、その暴力的側面にも光を当て続ける必要があるだろう。

国家が科学の領域に積極的に介入してきた歴史を踏まえれば(ただし、それは過ぎ去った過去の出来事ではない)、また現代において、人工知能やドローンなどの最先端技術の多くがデュアルユース(民生利用と軍事利用)の対象となり得ることを考えれば、科学や技術の進展を的確に俯瞰できる視点が必要である。本書は「良心」をキーワードとして、その課題に取り組んだものである。

現代科学を考える際に、いかにも古くさい「良心」という言葉をもち出すと、両者にいったい何の関係があるのかと考えるのが普通だろう。しかし、第1章で示したように、スキエンティア(サイエンス、知ること)の特性や脆弱性は、コンスキエンティア(良心、共に知ること)との緊張関係の中でこそ明らかにされる。その事例を、本書では科学のさまざまな領域において探究している。

良心は自然科学に限らず、多様な学問領域に関係し、また異なる学問領域をつなぐ可能性を有している。このことは、同志社大学 良心学研究センター編『良心学入門』(岩波書店、二〇一八年)において論じられているので、関心のある方には手に取っていただきたい。

本書の執筆に取りかかった頃に、新型コロナウイルスの世界的な感染拡大を目の当たりにすることになった。本書で論じられているテーマは特定の時代状況に依存するものではない。しかし、今、世界が直面している危機を見据えることにより、本書のテーマがより具体性を帯びると考え、それを念頭に科学と良心の関係を論じることにした。各章にはそのような視点が含まれており、本書に「パンデミック時代への視座」というサブタイトルをつけるに至った。

新型コロナウイルスはいずれ終息するだろう。しかし、ポスト・コロナの時代を迎えたとしても、次のパンデミックが待ち構えている。グローバルな人口移動・人口集中・人口増加・自然破壊が続くかぎり、パンデミックが途絶えることはない。その意味でわれわれは、パンデミックとパンデミックの間、すなわち、インター・パンデミック時代を生き続けなければならない。今の危機だけでなく、長期的な視点でパンデミックや科学を考えるための素材を提供できれば、本書はその目的を果たしたことになるだろう。

二〇二一年一月

同志社大学 良心学研究センター長　小原克博

牛山　泉（うしやま・いずみ）
足利大学理事長，大学院特任教授．専門：エネルギー変換工学，主に風力など再生可能エネルギー．主著：『エネルギー工学』（共著），オーム社，2010年，『風車工学入門　第2版――基礎理論から運用のノウハウまで』森北出版，2013年．

和田喜彦（わだ・よしひこ）*
同志社大学経済学部教授．専門：エコロジー経済学．主著：*"For Our Common Home: Process-Relational Responses to Laudato Si'"*（共著），Process Century Press, 2015,『放射線と核の現代史――開発・被ばく・抵抗』（共著），昭和堂，2021年．

廣安知之（ひろやす・ともゆき）*
同志社大学生命医科学部教授．専門：システム工学．主著：『人工知能学大事典』（共著，人工知能学会編），共立出版，2017年．

貫名信行（ぬきな・のぶゆき）*
同志社大学大学院脳科学研究科教授．専門：病態脳科学．主著：『脳神経疾患の分子病態と治療への展開』（共編著），羊土社，2007年．

中辻憲夫（なかつじ・のりお）
京都大学名誉教授，財団法人中辻創智社代表理事．専門：幹細胞生物学，発生生物学．主著：『ヒトES細胞　なぜ万能か』岩波書店，2002年，『幹細胞と再生医療』丸善出版，2015年．

櫻井芳雄（さくらい・よしお）*
同志社大学大学院脳科学研究科教授．専門：システム脳科学．主著：『脳と機械をつないでみたら――BMIから見えてきた』岩波書店，2013年．

池内　了（いけうち・さとる）
名古屋大学・総合研究大学院大学名誉教授，専門：宇宙論・科学技術社会論．主著：『科学者と軍事研究』岩波新書，2017年，『科学者は、なぜ軍事研究に手を染めてはいけないか』みすず書房，2019年．

*：『良心学入門』（岩波書店，2018年）の執筆者

執筆者一覧

小原克博（こはら・かつひろ）＊
同志社大学神学部教授，良心学研究センター長．専門：キリスト教思想・宗教倫理・一神教研究．主著：『一神教とは何か――キリスト教，ユダヤ教，イスラームを知るために』平凡社新書，2018年．

村上陽一郎（むらかみ・よういちろう）
東京大学・国際基督教大学名誉教授．専門：科学史・科学哲学・STS．主著：『科学者とは何か』新潮社，1994年，『新版 近代科学と聖俗革命』新曜社，2002年，『文化としての科学/技術』岩波現代文庫，2021年．

黒木登志夫（くろき・としお）
東京大学名誉教授（医科学研究所）．専門：がんの細胞生物学．主著：『研究不正――科学者の捏造，改竄，盗用』中公新書，2016年，『新型コロナの科学――パンデミック，そして共生の未来へ』中公新書，2020年．

明和政子（みょうわ・まさこ）
京都大学大学院教育学研究科教授．専門：発達科学・比較認知科学．主著：『ヒトの発達の謎を解く――胎児期から人類の未来まで』ちくま新書，2019年．

元山 純（もとやま・じゅん）
同志社大学大学院脳科学研究科教授．専門：発生学．主著：*"Hedgehog-Gli Signaling in Human Disease"*（共著），Springer, 2006.

武藤 崇（むとう・たかし）＊
同志社大学心理学部教授．専門：臨床心理学．主著：『55歳からのアクセプタンス＆コミットメント・セラピー（ACT）――超高齢化社会のための認知行動療法の新展開』（編著），ratik，2017年．

林田 明（はやしだ・あきら）＊
同志社大学理工学部教授．専門：地球科学．主著：『東アジアのレス――古土壌と旧石器編年』（共著），雄山閣，2008年．

良心から科学を考える――パンデミック時代への視座

2021年2月17日　第1刷発行

編　者　同志社大学 良心学研究センター

発行者　岡本　厚

発行所　株式会社 岩波書店
〒101-8002 東京都千代田区一ツ橋2-5-5
電話案内 03-5210-4000
https://www.iwanami.co.jp/

印刷・三秀舎　製本・中永製本

ISBN 978-4-00-025581-3　Printed in Japan